GW00697092

FALAISES

Olivier Adam est né en 1974 en banlieue parisienne. Il vit actuellement en Bretagne. Il est l'auteur de quatre romans, *Je vais bien, ne t'en fais pas* (Le Dilettante), *À l'Ouest, Poids léger*, roman qui a été adapté pour le cinéma (film réalisé par Jean-Pierre Améris) et récemment *Falaises* (L'Olivier, 2005). Il écrit aussi pour la jeunesse.

DU MÊME AUTEUR

Romans et nouvelles

Je vais bien, ne t'en fais pas
Le Dilettante, 2000
et « Pocket », nº 11109

À l'Ouest
Éditions de l'Olivier, 2001
et « Pocket », nº 11676

Poids léger
Éditions de l'Olivier, 2002
et « Points », nº P1150

Passer l'hiver
Goncourt de la Nouvelle 2004
Éditions de l'Olivier, 2004
et « Points », nº P1364

Romans Jeunesse

On ira voir la mer
L'École des loisirs, 2002

La Messe anniversaire
L'École des loisirs, 2003

Sous la pluie
L'École des loisirs, 2004

Comme les doigts de la main
L'École des loisirs, 2005

Olivier Adam

FALAISES

ROMAN

Éditions de l'Olivier

TEXTE INTÉGRAL

ISBN 978-2-7578-0068-3
(ISBN 2-87929-504-1, 1re publication)

Pour Karine

« C’est ma jeunesse et je n’en ai pas d’autre. »

HENRI CALET

I

DANS LES SABLES

Ici la nuit est profonde et noire comme le monde. De l'autre côté des baies vitrées, séparée du dehors et des falaises, protégée du bruit de la mer et de la compagnie des oiseaux, Claire dort et qui sait où nous allons. Chloé est dans ses bras, paisible et légère contre sa poitrine. J'allume des bougies dans la nuit. Ma main plonge dans le plastique transparent, j'en sors de petits ronds d'aluminium remplis de cire blanche. Je craque une allumette. Il y a vingt ans que ma mère est morte. Vingt ans jour pour jour.

Les falaises se découpent dans le tissu du ciel. J'y contemple des fantômes, des corps chutant dans la lumière. Je me retourne et sur la vitre se reflètent mon visage usé, mes traits tirés, prématurément vieillis. Claire ouvre un instant les yeux, Chloé fourre son pouce dans sa bouche, et se colle à son dos. J'allume une cigarette et le bout incandescent fait un rond rouge, un point lumineux au milieu du noir et du blanc. Sur le balcon où je veille en surplomb de la plage, deux transats se font face. Je m'allonge sur l'un d'eux. Une couverture me protège du froid qui descend et s'amplifie. Mon regard se perd à l'ouest.

J'ai trente et un ans et ma vie commence. Je n'ai pas d'enfance et, désormais, n'importe laquelle me conviendra. Ma mère est morte et tous les miens s'en sont allés. La vie m'a fait une table rase où Claire et moi nous nous asseyons, où Chloé s'est invitée, un sourire très doux au coin des lèvres.

J'ai trente et un ans et ma vie commence ainsi, perdue dans la nuit maritime. Derrière moi, à peine plus concrètes que des ombres, moins denses qu'un peu de fumée, Claire et Chloé me regardent, la plus petite au creux des bras de la plus grande, toutes deux figées dans le silence de la chambre d'hôtel. Claire me sourit puis se rendort, et leurs respirations se confondent.

Ici la nuit est profonde et noire de monde. Ma mère marche sur la lande, comme une fée somnambule. Antoine et Nicolas, Lorette et les autres dansent autour des flammes, les yeux clos et le visage tendu vers le ciel. Léa se tient tout au bord, sur la pointe des pieds comme sur un fil, à deux doigts du vide, funambule, équilibriste.

J'avais onze ans quand ma mère est morte. Trois jours plus tôt, elle sortait de l'hôpital et la lumière éclaboussait tout. Elle y avait passé les six derniers mois et nous n'avions pas eu le droit de la voir. La pièce d'eau, les bancs alignés, le grand bouleau qui frissonnait près de la bâtisse, le sapin au milieu de la pelouse, les cerisiers en fleur, j'ai tout gardé en mémoire imprécise.

On l'attendait dans la voiture, mon père au volant de sa Ford Granada grise, mon frère et moi blottis silencieux à l'arrière. Le skaï alvéolé nous collait aux cuisses, marquait nos peaux moites. Mon père tapotait du bout des doigts sur le tableau de bord, tripotait le fanion PSG qui pendait du rétroviseur, se retournait de temps en temps et nous ordonnait sèchement, alors que nous ne respirions qu'à peine, de rester sages. Antoine hochait la tête et je l'imitais. Puis je fermais les yeux et le soleil mordait ma joue.

Soudain mon père est sorti de la voiture, je me suis redressé et le jour m'a ébloui. J'ai refermé les yeux puis les ai rouverts, et au loin je l'ai vue. De l'autre côté des grilles de fer, elle marchait vers nous, impassible et transparente. Pâle et vêtue d'un long manteau rouge, le bras droit en écharpe et la main bandée, elle paraissait ne pas nous voir. Elle s'approchait lentement, bien au milieu de la grande allée, minuscule et seule dans le parc immobile. Tout y semblait statufié, les arbres et les jets d'eau, comme si le temps s'était arrêté en un perpétuel hiver. En voyant mon père, elle n'a pas eu la moindre réaction. Ils se sont embrassés du bout des lèvres, peut-être même ne se sont-ils pas touchés, à peine effleurés. Il s'est saisi de sa valise. Elle a allumé une cigarette. Elle avait maigri et son visage se troublait derrière les volutes. Antoine me serrait le poignet et j'écoutais son souffle court. Suspendus, nous la fixions du regard. La chaleur dans l'habitacle était insupportable. Les cheveux de mon frère collaient à son front en mèches sombres, à sa nuque en boucles noires. Elle est montée dans la voiture sans nous embrasser. Un long moment elle n'a pas bougé et ses yeux fixaient la route, les champs au loin, ou bien elle les fermait. Puis elle s'est tournée vers nous, et nous a lancé un semblant de sourire. J'ai cessé de respirer, et mon cœur s'est tordu comme une vieille éponge. J'attendais que ses lèvres articulent un mot, mais rien n'est venu. Son regard nous a quittés et mon père a démarré. Elle n'a rien dit quand il s'est engagé sur l'autoroute.

Pendant des kilomètres, nous avons roulé en silence. Rivés à la nuque de notre mère, nous traquions le moindre de ses mouvements, son geste qui ramenait ses cheveux derrière l'oreille, le léger soulèvement de ses épaules quand elle inspirait. Nos visages collés dans la rumeur de l'autoroute, le mouvement flou des voitures croisées, nous attendions le cœur battant qu'elle se retourne, nous lance un regard plein de tendresse, un baiser soufflé de ses lèvres. Le bruit du moteur envahissait tout. J'ai fini par m'endormir contre mon frère, nos visages se touchaient. Mon père a mis le chauffage et l'air est devenu tiède et nauséeux.

Un peu plus tard, la voiture s'est arrêtée. La nuit venait de tomber. La station-service était livide et moche dans la lumière des phares. Il pleuvait légèrement, on le sentait à peine, dans les cheveux, sur les joues. Dans la lumière des lampadaires, ça faisait un rideau très fin, des bulles dans une bouteille d'eau gazeuse. Mon père est sorti pour boire un café. Sur le parking il s'étirait, et en le voyant qui aurait pu dire qu'il vivait un moment aussi crucial, qu'il venait de retrouver son épouse après des mois d'internement dans une clinique psychiatrique. Il aurait aussi bien pu être notre chauffeur, et c'est ce qu'il était au fond, au volant de son taxi. Adossés à la voiture, ma mère fumait une cigarette, Antoine se frottait les yeux en bâillant. Elle a écrasé son mégot en regardant le ciel, lâché un soupir dont je n'ai pas compris la signification, et elle a saisi ma main. J'ai pris celle de mon frère dans la mienne. Nous marchions à la file dans la boutique, entre les rayons de chips, de bonbons, de biscuits. Elle attrapait des produits on aurait dit au hasard, embarquait sans les choisir des paquets de gâteaux et de chewing-gums, des boissons sucrées. Elle s'est arrêtée devant un présentoir, l'a fait tourner sur lui-même. Des bijoux de pacotille défilaient dans la lumière crue, les haut-parleurs diffusaient une chanson de Michel Delpech, *Les divorcés,* je ne sais pas pourquoi je me souviens d'un détail aussi précis alors que j'ai oublié tant de choses essentielles. On a choisi un bracelet chacun. Un bracelet de cuir brun avec le prénom gravé. J'ai encore le mien. J'ignore pourquoi elle a tenu à nous acheter ça. À inscrire nos prénoms sur nos poignets. J'avais alors l'impression confuse que c'était à elle qu'on aurait dû mettre un bracelet, ou même un collier, pour ne plus jamais la perdre.

Mon père a fini son café et nous avons regagné la voiture. Quelques minutes avaient suffi pour en glacer l'intérieur, et sous nos jambes à moitié nues, le skaï était une banquise. Durant le reste du trajet, maman s'est installée à l'arrière, entre nous deux, comme si enfin elle s'en croyait capable, comme s'il lui avait fallu ce temps d'adaptation pour y consentir. Nous dormions la tête sur ses genoux, ou bien nous faisions semblant. Le parfum de sa robe se mêlait à l'odeur du chauffage et de transpiration. Je sentais ses doigts sur mon front ou dans mes cheveux. Et la joue de mon frère contre la mienne, nos peaux moites et son souffle fondu dans les bruits de moteur. De temps en temps maman se penchait sur moi et m'embrassait. Je gardais les yeux fermés, je retenais ma respiration, j'étais bien sous ses baisers retrouvés, dans la nuit automobile, la rumeur assourdie de la radio allumée.

Nous sommes arrivés vers dix heures. Les restaurants fermaient et la promenade était déserte. Des filles en tablier rangeaient des chaises en les empilant, les retournaient sur les tables lavées. Les cuisiniers fumaient près des poubelles. Le grondement des vagues emplissait tout et, à l'époque, les falaises blanches ne se découpaient pas encore sur la nuit du ciel. À de nombreuses reprises depuis ce jour, il y a vingt ans maintenant, j'ai séjourné, pour quelques heures ou plus, à Étretat. Je ne saurais dire à partir de quand précisément les falaises ont été éclairées. En quelle année ont été disposés ces immenses projecteurs. Je sais juste que depuis, lorsque je viens, je prends toujours la même chambre à l'hôtel des Corsaires, la 103, et que je passe le plus clair de mes nuits sur le balcon, allongé sur le transat de plastique, emmitouflé dans des couvertures, à contempler le spectacle irréel des roches phosphorescentes, régulièrement striées, plongeant à l'équerre dans le noir le plus absolu. Ces nuits-là, je fume jusqu'à ce que tout s'éteigne et que le monde soit soudain rendu à la mer, réduit au fracas du ressac, des galets chamboulés. C'est la troisième fois que Claire m'accompagne, la première depuis la naissance de Chloé. J'ignore si elle comprend quelque chose à tout ça, ce temps que je passe à fixer ce bloc de craie et son aiguille creuse, le tournoiement sans fin des oiseaux devant, sur cette terrasse étroite, ou bien plus tôt dans la journée, assis sur la plage, à faire inlassablement glisser des cailloux lisses entre mes doigts.

Quand elle a réalisé que nous roulions vers Étretat, qu'on y passerait la nuit et même, si tout allait bien, quelques jours, ma mère n'a pas eu de réaction particulière. Pourtant j'avais guetté son sourire, une lueur dans ses yeux. La réminiscence de sa main glissée dans celle de sa propre mère, elle avait huit, neuf ou dix ans et elles arpentaient en silence la langue de galets nichée au milieu des falaises. Le soir après la plage, elles roulaient jusqu'à Fécamp, où une amie les logeait. J'ai dans mon portefeuille trois clichés où ma mère est une enfant souriante et maigre, en maillot de bain clair, les pieds léchés par les premières vagues. Sur l'un d'entre eux, une femme, petite et vêtue d'une blouse à fleurs, fume une cigarette près de longs toboggans en bois. J'ai du mal à y reconnaître ma grand-mère. Mon premier souvenir remonte à sa mort, ou à ses environs. Oui c'est cela : je ne me souviens d'elle qu'après sa mort, comme d'une empreinte, d'un trou creusé. Un souvenir de souvenir. De son visage carré, ses allures de paysanne, ses lunettes aux verres épais, ses cheveux teints et bouclés qu'elle protégeait de la pluie par un triangle de plastique transparent, des gestes pieux qu'elle avait, des prières que murmurait sa bouche, de la douceur inquiète de ses yeux, du soin qu'elle portait aux siens, du souci qu'elle s'en faisait, je ne sais plus rien. Et du chagrin que me causa sa disparition, moins encore. Rien sinon une tendresse diffuse et entêtante, la mémoire brumeuse de ma tête contre sa poitrine, la trace qu'ont laissée sur ma peau ses regards posés. Rien sinon ce que m'en disait Antoine, dans la nuit chargée d'alcool, lors d'escales toujours trop courtes. Des larmes trop nombreuses, des mots incompréhensibles le submergeaient parfois, une bouillie de phrases incomplètes où se mêlaient notre enfance et ce que j'en oublie, la mort de notre mère et le corps de Laetitia, le fusil qu'avala Nicolas dans l'année de ses seize ans. Et comme un baume là-dessus, ma grand-mère surgissait toujours, ses signes de croix et ses baisers sur le front, les couvertures multicolores et les coussins qu'elle tricotait, une grosse fleur bleue en plein centre de l'orange, les bouteilles qu'elle habillait de laine et transformait en chien, en chat ou en bonhomme, le balcon de son appartement où nous nous penchions sur des arbres, des écureuils, des passants minuscules, les photos de son mari sur le buffet, où s'alignaient des napperons affreux, de grossières imitations de cristal, ses regards tremblés, empreints d'une bonté sans fond, piété compassion miséricorde, nos jeux de ballon dans le parc, ses sourcils froncés quand elle examinait nos devoirs auxquels elle ne comprenait jamais rien, nos pas dans la forêt durcie par l'hiver, le cercueil qu'il avait vu disparaître dans le trou et je n'étais pas là, sa voix nous lisant des histoires dans la pénombre d'une chambre, la petite bible noire usée par les lectures innombrables, le crucifix que parfois nous décrochions d'au-dessus de son lit, nos corps debout et nos mains mêlées tout autour, tandis qu'elle disait simplement se *reposer* et que nous la savions condamnée par un mal dont elle ne savait rien (peut-être aussi feignait-elle de n'en rien savoir), alors elle parlait sans fin, une formidable lumière au creux des yeux (dont je me dis aujourd'hui qu'elle lui venait de la promesse des cieux enfin gagnés), des étés qui suivraient, des jeux dans l'herbe, raquettes pétanque et croquet au milieu des pâquerettes ou à l'ombre d'un orme, et du projet qu'elle avait de nous faire connaître le pays de hautes falaises et ses oiseaux tourbillonnants ; nous hochions la tête avec des sourires forcés qui ne trompaient personne. J'avais huit ans quand elle s'est éteinte, Antoine en avait dix et ma mémoire s'ouvre cette année-là. La plus lointaine image qui s'y soit gravée la concerne, mais elle y est absente, déjà morte et enterrée. Mon premier souvenir est un moment volé, une irruption. Mes devoirs à l'abandon, feuilles et cahiers étalés sous la lampe, sur le petit bureau de bois clair collé au radiateur (en face, par la fenêtre, les pierres meulières d'une maison au toit de tuiles orange, au sommet duquel se dessine un masque, un visage qui m'a longtemps terrifié), j'ai quitté la chambre, fait tourner le globe au passage, ainsi que souvent, mécanique, sans y rêver jamais. Dans la maison silencieuse, mon père absent sans doute, les marches de l'escalier craquaient sous mes pas. Au milieu de la cuisine éclairée au néon, ma mère semblait perdue et pleurait en silence. D'avant en arrière elle oscillait, et devant trois casseroles sur le feu rongeait ses ongles. C'étaient des jours d'enterrement et de volets clos, je me tenais dans l'embrasure et elle m'a fait signe d'approcher. Sur son visage défait coulaient de longs traits de maquillage. J'ai fait glisser mes chaussettes sur le carrelage beige. Dans l'odeur de soupe et de poireaux, le sifflement des soupapes, elle m'a pris dans ses bras et j'ai pleuré, juste pour l'accompagner je crois, lui montrer que j'étais là, avec elle quoi qu'il arrive. Les yeux fermés mes joues se mouillaient, je reniflais et je tremblais contre son corps déjà maigre. Au bout d'un long moment, elle s'est redressée, a essuyé ses yeux, son nez et sa bouche avec le tissu de sa robe trop large, et m'a demandé pardon. Je cherche encore quoi répondre, j'ignore de quoi elle voulait ainsi que je la pardonne, j'ignorais qu'une mère puisse un jour demander pardon à son fils.

Nous avons passé trois nuits à Étretat. Mon père y avait retenu deux chambres à l'hôtel des Corsaires, mais nous n'en avons utilisé qu'une. Peut-être était-ce la 103, différemment décorée mais vaste aussi, et dotée d'un balcon où l'on pouvait s'allonger au grand air.

La première nuit, nous avons dormi dans le grand lit, mon frère, ma mère et moi. Mon père avait pris l'un des deux fauteuils. Nous n'avions pas tiré les rideaux et le jour s'est levé vers huit heures. Je me souviens de la lumière franche et de nos regards éblouis par la mer sous le soleil, la blancheur aveuglante des falaises. Maman s'est levée la première, a ouvert les fenêtres et s'est penchée au-dehors, vêtue d'une robe de nuit aux tons pâles. Elle chantonnait en frissonnant, contemplait la plage et s'allumait des cigarettes à la file, se saoulait de matin lumineux.

Durant ces deux journées à Étretat, elle n'a pas quitté la chambre. Elle restait sur la terrasse à boire du thé, un livre sur les genoux ou bien c'était un journal. Ses yeux plissés parcouraient l'horizon. De temps à autre elle se levait, traversait la pièce, laissait sa main valide traîner derrière elle, s'attarder sans pesanteur sur le bois des meubles ou dans nos cheveux en bataille, tandis que nous jouions mon frère et moi au pendu ou au morpion.

Vers midi, le premier jour, mon père est sorti avec mon frère, acheter de quoi préparer des sandwichs. Le lendemain c'est moi qui l'ai accompagné. Les rues étaient sombres en retrait de la mer, aux murs crépis et décorés de bois. Nous avons passé nos après-midi sur la plage, nous la quittions parfois pour les sentiers. À l'ouest, vers Le Havre, se déployait la lande rase et pas encore mangée par le golf, on longeait des prés où sautaient des lapins, on se penchait sur le vide pour en éprouver le vertige. À l'est s'étalaient des champs où ruminaient des vaches, et la chapelle dominait le village. Je ne me souviens pas du visage de mon père, de ses réactions lorsque ma mère refusait de nous suivre, préférait rester à l'hôtel pour y faire une sieste ou simplement lire. Je me souviens seulement du tour de clé qui l'y enfermait, de nos promenades muettes et du vent, de la peur qui me prenait de ne pas la retrouver à notre retour. Nous rentrions dans la lumière du soir et elle était là, comment aurait-il pu en être autrement, comment aurait-elle pu s'envoler, s'évaporer ou se dissoudre ? Allongée au centre du lit, les rideaux à moitié tirés, elle nous faisait signe d'approcher et nous nous collions contre elle, elle nous serrait en chantant à voix basse, et soudain je n'avais pas plus de quatre ans. Les derniers rayons s'échouaient dans l'eau, adoucissaient la blancheur des roches alentour, les jaunissaient un peu. Tout ce temps, maman était très calme, silencieuse et sans doute abrutie par les médicaments.

De la troisième nuit, je garde l'image précise et pourtant reconstituée du corps de ma mère chutant dans la nuit. Nous dormions sur la terrasse, Antoine et moi, emmitouflés dans nos blousons, nos quatre couvertures, engloutis dans le ventre de la mer. Le ciel était sans étoiles, opaque et noir, la nuit plus claire aux abords des réverbères. Je me rappelle n'avoir jamais eu autant que cette nuit-là la sensation que la mer enflait, grondait, hurlait au fur et à mesure que tout autour s'endormait, saturait l'espace et recouvrait le monde. Sous la lune absente, ma mère a quitté le lit où ronflait mon père. Doucement, elle a tourné la clé. Elle a longé la grande plage et nous ne l'avons pas vue. Elle allait pieds nus, transparente et vêtue d'une longue chemise, ainsi qu'elle se promenait parfois dans les rues du quartier où nous vivions. (Comme elle aujourd'hui, souvent je marche la nuit, errant aveugle au milieu des arbres ou le long de la mer, les mains frôlant l'écorce, les chevilles griffées par les ronces et la bruyère, la peau humide et glacée sans savoir pourquoi, tandis que montent des parfums gorgés d'eau. Aux voisins, mon père la disait somnambule et je le croyais. Loin de me rassurer, ce mensonge me plongeait dans l'effroi, car circulaient ces histoires étranges qui voulaient qu'en la réveillant on prenne le risque de la tuer.) Le sentier grimpait raide et obscur, ma mère avançait à tâtons, des pierres affleuraient et bientôt sur ses jambes du sang, des écorchures et de la terre. À deux pas du vide, elle s'est penchée sur les eaux noires, la mer épaisse en bas des rochers sombres, gris anthracite à cette heure. Le printemps finissait et ma mère a fait un pas de plus, son corps comme un pantin de caoutchouc s'est échoué à marée basse, crâne et corps fracassés au pied des falaises, couverts de sable noir, de cailloux minuscules, de coquillages et de mica.

Avant tout cela je ne me souviens de rien. Ni de ma mère ni de moi-même. De ma naissance à mon premier souvenir, neuf ans se sont consumés sans laisser de trace. Et jusqu'à la mort de maman tout reste trouble et désarticulé. Je me demande parfois si tout ce que j'ai oublié s'est logé quelque part. Si tous ces événements, ces mots, ces sensations, ces gestes accumulés me constituent un peu, me font une manière de socle, ou bien si j'ai grandi sur du vide, un sol qui se dérobe. J'ai en ma possession des dizaines de photos, quelques bobines de super-huit, où l'on me voit enfant, où on la voit telle que je ne l'ai jamais connue. Riant aux éclats, lumineuse. Armée d'une bouteille d'eau, à notre poursuite dans le jardin, dansant vêtue d'un paréo à fleurs orange sur la terrasse d'une maison de vacances. Légère elle tournoie dans le soleil, fume à la fenêtre de sa chambre ou au volant d'une voiture, un foulard noué dans les cheveux et des lunettes aux verres fumés cachent ses yeux. J'ai quant à moi sur le crâne une énorme touffe de cheveux blond clair, et la plupart du temps je fais la moue. Vêtu d'un short en éponge, d'un tee-shirt orange qui découvre mon ventre, je caresse un grand chien roux, mange des frites avec les doigts, ébloui par le soleil d'été, fixant l'objectif que je suppose tenu par mon père. Avec Antoine nous nous roulons dans l'herbe, dévalons des pentes semées de trèfles et de pâquerettes. Au pied d'un gros cerisier, nous mimons des musiciens et nos guitares sont des raquettes. Sur le tapis du salon nous saluons militaire, droits comme des i et nos casques en écumoires de plastique rouge. Je pourrais poursuivre cette énumération de clichés mille fois contemplés, d'une enfance que je ne me rappelle pas avoir été la mienne, vestiges d'une vie enfouie. Je regarde ces photos et cette mère vivante et gaie je ne l'ai jamais connue, elle pourrait être celle d'un autre. Et ce garçonnet boudeur, toujours fourré dans les robes longues de sa maman, ou flanqué de son frère, grande liane brune et souriante, pourrait aussi bien ne pas être moi. On pourrait m'offrir des millions de photos d'un autre garçonnet blond et boudeur, et qui me ressemblerait, elles seraient aussi *réelles* et incarnées que celles que je possède, et je pourrais les revendiquer comme autant de témoignages uniques, indiscutables, de mon enfance.

Des années qui précèdent la mort de ma mère, je ne garde qu'un flot brumeux d'images qui pour la plupart sentent la pluie et la terre mouillée, et me ramènent à la maison où nous vivions tous les quatre, dans cette ville morne et floue, sans centre ni contour, nichée entre la Seine et la forêt, à quelques kilomètres de Paris. Une maison collée à d'autres pareilles, les mêmes toits de tuiles orange, les mêmes pierres apparentes, les mêmes garages en parpaings nus devant lesquels se garaient des voitures identiques. J'y ai vécu jusqu'à mes dix-sept ans et, quand j'y repense, ce sont toujours les rues humides de novembre qui me reviennent en premier, puis l'odeur de fumée, d'herbe trempée et de feuilles en bouillie, le bruit des tondeuses au printemps, les tours grises qui se dressaient toutes proches, en surplomb du lac artificiel, la nationale bordée d'enseignes et les phares en enfilade, et toute cette géographie indistincte et commune, qui ne signifie rien pour ceux qui n'y ont pas vécu. La gare RER et la maison de la jeunesse, l'hôpital et l'Intermarché, le parking et les pelouses trouées de la cité Youri-Gagarine, le bar PMU, l'ANPE, le cinéma, la cour de l'école et les traits de craie sur les façades. Les lotissements pavillonnaires et leurs pelouses peignées, ciment lisse planté d'arbres maigres et de haies de lauriers. Et là-dedans, tout ce temps, mon frère à vélo et moi sur mes patins accroché à sa selle, le foot dans la rue les soirs d'été, les tulipes, les meubles de jardin rouillés, la dalle de béton, les murs hérissés de tessons, les rosiers et le tuyau d'arrosage, la chambre des parents volets fermés en plein jour, le taxi de mon père garé devant la cuisine, la balançoire, la terrasse et le barbecue, le jardin au gazon ras avant la mort de ma mère, aux herbes hautes après, le salon sombre aux meubles rares, aux murs sans décoration, papier peint marron-beige à motifs où se plantaient des tableaux venus d'on ne sait où, fougères jaunies ficus malades, fleurs coupées flétries, vases en fausse porcelaine chinoise à l'eau jamais rafraîchie. Les thuyas rongés et l'herbe cuite en été, trouée de terre meuble et brune au printemps, claire et gelée, fendillée à l'hiver, le bruit des mobylettes et les lampadaires en courbe sur le bitume luisant de crachin et bordé de prunus, la cuisine aux meubles de bois clair et ma mère se tenant là, les yeux dans le vague, chantonnant sans s'en rendre compte, fixant la fenêtre sur la rue, ou bien debout face au four micro-ondes, comme entièrement absorbée par le mouvement circulaire du plat dans la lumière, ou encore au salon, pâle dans la lueur halogène et voûtée derrière sa table à repasser, fixant le téléviseur mais regardant au-delà.

Fondant en larmes en plein repas, en présence de la famille de mon père, ou bien devant les programmes alors qu'elle se contente de se lover entre nous sur le canapé de velours sans rien suivre. Ses bras qui nous serrent à nous étouffer, et ses pleurs enfouis dans nos cheveux.

Allongée en plein jour, du matin jusqu'au soir, dans la pénombre des volets clos, un gant gorgé d'eau chaude et de Synthol collé à son front. Ou bien dans sa voiture, se garant sur le bas-côté tandis qu'elle m'emmenait à l'école, au stade ou au centre commercial, les yeux trop embués pour voir la route, le corps trop secoué pour ne pas risquer l'accident.

Dehors en pleine nuit – de ma fenêtre je l'observe alors que le sommeil me fuit – traversant le jardin pieds nus et parfois sous la pluie, caressant le tronc des arbres, enfonçant ses doigts dans la terre, puis marchant dans la rue et s'éloignant sans que jamais j'aie pu savoir où elle allait.

Elle ne revenait que plusieurs heures plus tard et je ne dormais toujours pas, je la guettais derrière les rideaux, son visage était maculé de boue et le tissu de sa robe vert de mousse, les pieds noirs, des feuilles dans les cheveux ; sans doute avait-elle marché jusqu'au fleuve, s'était-elle assise sur les berges, au bord du ruban noir. Ou bien elle avait gagné la forêt toute proche, je l'imagine griffée par les buissons, collée au tronc des châtaigniers, mangeant la terre peut-être, mâchant des feuilles et des fougères. Ou bien c'était le terrain vague un peu plus loin, une étendue d'herbes hautes enserrée de barrières ; on y jouait au foot avec mon frère et quelques copains du quartier, c'était l'été et le soir tardait à venir. J'ignore tout de ces virées nocturnes. Je n'ai jamais osé lui en parler. Je sais juste qu'à son retour elle ne regagnait pas sa chambre et préférait se glisser dans mon lit. Je faisais mine de dormir mais je sentais contre moi sa peau glacée et humide.

Bavardant au milieu du salon, entourée de connaissances du voisinage, de mères de famille croisées à la sortie de l'école et qu'elle invitait parfois, rarement, à prendre le thé et manger des gâteaux, accompagnées de leurs enfants avec qui nous jouions dans le jardin. J'ignore ce qu'elles pouvaient se dire alors, ces femmes anonymes et ma mère trop fragile, discrète, aux ongles rongés, petites peaux mangées autour de la nacre percée de taches blanches.

Si je veux dire mon enfance et le peu qu'il m'en reste, ma mère et le peu que j'en sais, il me faut parler du vide après le départ de mon père, l'odeur âcre du matin et le silence qui envahissaient la maison, les mercredis ou pendant les vacances, ou lorsque j'étais malade (et cela arrivait très souvent je crois) et que je restais seul avec elle. Quelque chose d'infiniment triste emplissait alors l'espace, asséchait la texture de l'air, modifiait les odeurs. Tout semblait soudain suspendu, pris dans une hésitation des choses, un asthme, un bégaiement. Une tristesse nimbée de brume, comme un novembre interminable, nous congelait de l'intérieur et ma gorge se serrait sans savoir pourquoi. Ces matins-là, ma mère errait dans la maison, inutile et blême, passait d'une chambre à l'autre sans rien y faire, mettait à chauffer de l'eau qu'elle oubliait dans la casserole, passait le balai ou la serpillière alors que tout était propre, rangeait ce qui traînait à peine. Elle allumait la radio, puis la télé où défilaient des séries au kilomètre, mal doublées et bourrées de bougies, de canapés en cuir, de compositions florales et de feux de cheminée. Elle n'y jetait qu'un œil distrait, quittait le fauteuil et laissait le téléviseur allumé, juste pour le bruit. Parfois, elle passait un coup de téléphone et, de ma chambre, j'entendais sa voix étranglée. J'ignore à qui elle pouvait bien parler. Je ne lui connaissais pas d'amies, et pas non plus de famille. Je restais dans mon lit et j'attendais que le temps passe. Ou bien assis en tailleur sur le tapis du salon, je feuilletais des bandes dessinées mille fois relues, *Gaston Lagaffe* et *Boule et Bill*, *Les Tuniques bleues Achille Talon Lucky Luke*. La maison sentait le détergent, la lumière y entrait froide et crue, et le silence y faisait un bruit menaçant.

Il me faut dire aussi le soir, les devoirs dans la cuisine, le tournoiement des soupapes et l'odeur de soupe tout autour. *Les Chiffres et les Lettres* en sourdine, *Les Animaux du monde* le dimanche soir, le four éclairé sur un gratin de courgettes. Les mathématiques et la grammaire. Les récitations, les buvards. Les protège-cahiers. Et ma mère derrière sa table à repasser, le fer à la main dans le salon. De temps en temps je la regarde, d'où je suis je la vois. Ses yeux se perdent et, soudain, elle soulève le fer à l'horizontale, reste ainsi suspendue des secondes qui durent des heures, et il me semble qu'elle hésite entre le faire glisser sur le tissu ou le coller sur son visage, laisser cuire sa peau, les os de ses pommettes, ses yeux et son front. La nuit, régulièrement, durant des années trop nombreuses, m'a terrifié l'image de son visage à moitié fondu, rouge cramoisi.

Je dois dire enfin ses gestes d'amour, qu'elle avait encombrants, démesurés, et toujours à contretemps (à contretemps aussi, comme subitement revenant au monde, les gifles, les cris, les sermons, la fatigue que nous lui causions, mais qu'avait-elle fait au bon Dieu pour avoir des enfants pareils ?, les effondrements, et encore : les rires, les rares étreintes, puis les regards comme pris en faute d'avoir été tendres). Et la poignée d'images non pas heureuses mais sereines qu'il me reste d'elle. Toutes sont, ironiquement, liées à la mer. Ce sont des images fugaces, aussi légères et douces que la caresse d'une main sur un visage. Elles se confondent avec sa maigreur les derniers temps, dont je n'avais pas conscience alors mais qui sur les photos m'apparaît de façon frappante. Elles se confondent avec son silence les derniers mois, alors qu'elle ne sortait plus guère de sa chambre. Ma mère ne mangeait plus, ne prenait plus ses repas avec nous, au motif qu'elle avait grignoté en préparant la cuisine, et aussi qu'elle n'avait « pas très faim ce soir ». Comment mon père réagissait-il face à tout cela, je n'en sais rien. L'obligeait-il à manger ? La traînait-il chez le docteur ? Lui ordonnait-il de se soigner, de se reprendre, de quitter la chambre et les gants tièdes imbibés de Synthol, de sortir et de voir du monde, d'avoir des *activités*, d'aller au cinéma ou de s'inscrire à l'atelier de poterie, de dessin, de patchwork ou de peinture sur soie que l'on donnait au centre social, et qu'annonçaient des affiches agrafées au bois des poteaux télégraphiques, où tenaient des fils et des oiseaux, et s'empilaient des morceaux de papier usés et mâchés par la pluie ?

Ma mère s'effaçait, et le dernier été mon père loua une maison crépie d'ocre au sommet des collines. On dominait des rochers orange qui s'enfonçaient dans la mer, des arbousiers et des chênes-lièges. À l'est, une plage en croissant s'étendait dans la lumière intense et précise. Plus loin, c'étaient des villas, des hôtels en enfilade, des enseignes fluorescentes, des campings trois étoiles, des plages et des calanques au porphyre cramoisi, des alignements de palmiers obèses, des bars aux néons éteints. La terrasse donnait sur la baie. Un pin marin se dressait dans le jardin couvert d'épines. Je collais mon front à l'écorce chaude, j'en soulevais des morceaux et sur mes doigts coulait un peu de sève. Dans le salon régnait une odeur de poussière et de vieux bois, de sel et de pierre sèche qui parfois me revient, et qui toujours me mord et me surprend, me griffe et m'envahit.

Le jour se levait nimbé d'un halo gris-rose et déjà tiède. Maman ouvrait les volets et passait la matinée sur la terrasse à boire du thé chinois, un livre à la main ou bien était-ce un *Elle*. L'eau scintillait à perte de vue. Elle allumait des cigarettes à la menthe, se balançait en regardant tourner les oiseaux, de là-haut ils guettaient les miettes de croissant, des morceaux de pain tombés, de la brioche. Parfois aussi, elle quittait son fauteuil et faisait quelques pas dans le jardin, caressait les feuilles d'une main traînante, les herbes hautes, le tronc, l'écorce et la pierre. Vers midi, mon père sortait le barbecue portatif et mettait à griller des sardines ou de la viande. Après le café, on descendait à la plage. Un sentier filait vers le sable, le petit snack et les pédalos échoués. De chaque côté se dressaient des haies de lauriers. Au travers on voyait des piscines, des meubles de jardin sur les terrasses, des jouets d'enfant abandonnés, des serviettes qu'on avait mises à sécher. Dans l'air flottaient des parfums de réglisse et d'herbes sèches. Antoine et moi, on dévalait le sentier en courant et les parents suivaient derrière, on les attendait à bout de souffle, les tempes brûlantes, impatients de se jeter à l'eau. Maman ne se baignait jamais, se contentait d'arpenter le sable de long en large, sa robe relevée à mi-cuisses, ses pieds nus dans l'eau calme. Certains jours, Antoine et moi, nous poussions jusqu'aux calanques. Ça tombait à pic dans l'eau transparente. Des arbres tenaient on se demandait à quoi, des herbes, des ronces et des buissons nichaient à même la roche. On allait pieds nus sur les chemins. On courait les genoux rouges et les doigts écorchés, les cheveux collés par la sueur dans les rochers chauffés à blanc, la serviette enroulée sur la nuque. Le soleil brûlait nos paupières. On pendait nos vêtements aux branches d'un arbre, on plongeait la tête la première dans l'eau turquoise et on nageait jusqu'à l'île. Les autres étaient déjà là, mâchonnaient des petits bouts de bois, fumaient rivés au ciel azur, parlaient de tout et de rien avec des mines infiniment sérieuses, passaient sans y penser la main sur leur torse déjà brun.

On rentrait dans la lumière du soir, maman s'allongeait et nous faisait signe d'approcher, on se collait contre elle, chacun son côté, elle nous caressait les cheveux en chantant, ainsi qu'un an plus tard dans la chambre close, et la vue sur les falaises d'Étretat. De là on voyait le soleil mourir sur l'eau bleu-gris, enflammer les roches rouges en surplomb. Avec les rideaux, ça faisait une lumière orange. Maman somnolait douce et molle, et j'entends encore sa voix chantonner par-dessus les vieux disques de Billie Holiday qu'elle passait en boucle, du matin au soir.

J'ai laissé mes souvenirs les plus clairs au creux d'une maison d'été. Un mois s'est écoulé dans la tiédeur de l'air, la lumière était une caresse, et quand nous avons quitté la terrasse, la vue sur la baie, maman s'est cachée pour pleurer. Quelques semaines plus tard, elle se brûlait la main gauche et c'était volontaire. J'étais là, près d'elle dans le salon quand elle l'a fait. Je dessinais sur la table basse, accroupi sur le tapis marron clair. Dans la lumière triste du matin elle repassait, la télé allumée pour personne. De longs moments, ses yeux fixaient la fenêtre et le jardin derrière, la pelouse cernée de thuyas malades. J'ai relevé la tête et elle était immobile, sa main droite en l'air et le fer suspendu à l'horizontale, comme si souvent le soir, comme dans mes rêves les plus sombres. Sa main gauche bien à plat sur la planche que recouvrait une mousse verte à grosses fleurs orange. Très lentement elle a approché le fer de sa main et je suis resté pétrifié. J'ai voulu crier mais aucun son n'est sorti. Elle a appuyé et sa bouche a fait une grimace. La peau commençait à cuire, à fondre, répandait dans la pièce une odeur de viande brûlée. Elle est restée silencieuse, stoïque, sauf l'expression de douleur que prenait son visage. Le temps se dilatait infiniment, chaque seconde me semblait épaisse comme un jour. Devant mes yeux défilait un film au ralenti, et ma mère n'était qu'une ombre sur l'écran. Antoine est entré et je l'ai regardé en pleurant, je ne pouvais rien faire d'autre. Il a hurlé et s'est précipité vers elle. Elle est tombée dans ses bras, comme morte. Il a embrassé ses yeux et son front, l'a serrée contre lui en la berçant, comme on console une enfant du chagrin. Je l'ai regardé marmonner des phrases affolées, des prières. J'étais incapable du moindre geste.

Les pompiers sont arrivés et ma mère a été transportée au service des grands brûlés de la Salpêtrière, avant d'être transférée dans une clinique psychiatrique, quelque part dans l'Essonne. Pendant six mois je ne l'ai pas vue. Jusqu'à ce jour où nous sommes allés la chercher, mon père, Antoine et moi. Où nous avons roulé de nuit dans la voiture silencieuse, vers Étretat et ses contrées de falaises, comme l'accompagnant en un curieux cortège vers sa propre mort.

De ma mère avant ma naissance, je ne sais rien ou si peu de choses. Rien non plus de sa jeunesse, ni comment elle a rencontré mon père. J'ignore le détail des déménagements qui l'ont menée de l'Aveyron, où elle a vécu un bout de son enfance, jusqu'à la Porte d'Orléans. Elle et ses parents y louaient un appartement minuscule, au sixième étage d'un immeuble de brique rouge. Nous passions devant de temps en temps, les fois où nous allions à Paris, rarement, pour voir un Belmondo, un Pierre Richard ou contempler les éclairages de Noël. Elle nous désignait deux fenêtres, et répétait toujours la même histoire, qui voulait que, pour travailler à ses devoirs, elle posât sur le lavabo une planche de bois, le transformant ainsi en un bureau de fortune. Elle ajoutait qu'ils avaient ainsi vécu à quatre dans une pièce unique, après ce qu'elle appelait mystérieusement la *ruine* de son père. J'ignore de quelle nature relevaient les *affaires* de son père, et comment il gagnait sa vie après qu'elles eurent mal tourné. J'ignore aussi à quel âge elle a quitté l'école et l'appartement familial, si elle a eu son bac ou non, si elle l'a seulement passé. J'étais trop jeune pour m'intéresser à tout cela. Je n'ai commencé à me poser ces questions que bien plus tard, alors que je n'avais plus moyen d'y répondre. J'ai depuis renoncé à combler les vides. Au fond, ce que je sais de ma mère est logé ailleurs, dans mon ventre et dans mon sang, sous chaque centimètre carré de ma peau.

Une fois morte, elle n'a cessé de m'accompagner, de vivre auprès de moi, de saturer chaque moment de sa présence, chaque parcelle d'air de son souvenir et du mystère de ma mémoire trouée. Longtemps elle est venue me visiter, de jour comme de nuit, et parfois encore aujourd'hui. Les premières années, ses apparitions quasi quotidiennes ont dépassé le strict domaine des rêves et des cauchemars, des souvenirs ou de la mémoire, pour gagner celui de l'hallucination. Bien sûr je rêvais d'elle et elle était vivante, me parlait, me souriait, passait les doigts dans mes cheveux, prenait ma main dans la sienne et m'entraînait dans la forêt, les arbres dégouttaient d'une pluie récente, elle se hissait sur la pointe des pieds et sur le bout de sa langue recueillait de minuscules perles d'eau. Ou bien elle marchait dans la mer, sa robe remontée juste au-dessus des genoux, ainsi que je l'avais vue faire à de nombreuses reprises lors du dernier été, bientôt le tissu en était mouillé et elle en léchait le sel, avant de le relâcher et de s'enfoncer dans l'eau à pas lents, jusqu'à disparaître tout à fait, épaules visage et cheveux peu à peu engloutis. Ou encore sur le sable d'une plage en Bretagne, allongée en lisière des eaux montantes, et de nouveau immobile et souriante d'un sourire de sainte en extase, les yeux rivés au ciel criblé d'oiseaux, se laissant submerger, l'eau salée la recouvrait lentement, noyant ses yeux, ses poumons. Ses mains fouillaient le sol, les grains s'infiltraient sous la peau, dans les interstices et rayaient l'œil comme un diamant le verre, corps et visage poncés, rongés par le sel, râpés jusqu'à l'os.

Mais ma mère ne se contentait pas de vivre et de mourir la nuit sous mes paupières, noyée dans l'eau ou enfoncée dans les sables. Elle ne cessait de m'apparaître en un éclair à peine discernable mais indiscutable, petit fantôme pâle et vaporeux, lorsque j'entrais dans la cuisine, dans le salon ou dans sa chambre. Je croyais *vraiment* la voir alors. Je clignais des yeux et elle disparaissait, ne laissait derrière elle qu'un déchirant souvenir, la déception cruelle qui suit un mirage. Parfois aussi, au-dehors, j'entendais distinctement sa voix qui m'appelait, me parlait à l'oreille ou bien je l'écoutais pleurer. Je songe aujourd'hui qu'à cette époque je vivais dans un autre monde. J'y logeais sans douleur particulière, sans morsure, sans presque de cris ou de sanglots jusqu'à vomir, sans presque me rouler par terre, cogner ma tête aux placards des cuisines, cogner mon poing cent fois au ciment des murs. Dans la torpeur où me plongeaient les sédatifs que l'on m'administrait sur l'ordonnance de notre médecin de famille, je vivais dans des contrées cotonneuses, une partie floue de mon cerveau, tout à fait extérieur à la vie réelle, comme à un autre étage, dans une autre pièce, dans un passé continu où ma mère n'était pas morte.

Dans la chambre tiède, l'air est rempli du parfum de ma fille, de l'odeur de sa mère. Je m'allonge près d'elles. Chloé grogne et je respire ses cheveux, son odeur de savon, d'eau de cassis et de lait. J'embrasse son cou, ses doigts minuscules, son épaule. Elle ouvre les yeux un instant, murmure « papa » et se rendort aussitôt.

Il y a maintenant deux ans qu'elle est née, qu'elle est près de moi et me protège. Deux ans et j'ai souvent l'impression qu'avant ça rien n'a existé, rien n'a eu lieu, qu'à nouveau ma mémoire se ferme à double tour, et entraîne les trente années qui ont précédé dans un lieu caché de mon cerveau. Un lieu sans importance désormais.

Son visage est blanc dans le halo qui nimbe la chambre. Le long de la plage s'alignent des lampadaires blafards, plantés dans le béton d'une promenade semée de restaurants, de bars et de jeux d'enfants. Je me relève et je me dis parfois que le passé est une fiction, qu'on peut en faire table rase, qu'on peut bâtir sur des ruines, et vivre sans fondations. Il m'arrive aussi de penser le contraire.

De la naissance de Chloé, je garde la sensation précise des mains de Claire qui serraient les miennes. Ses doigts me tordaient les phalanges, s'y insinuaient et j'y sentais la peur. La peur que Chloé naisse, puis la peur qu'on nous l'enlève dans un même mouvement. Depuis toujours, depuis le début je crois, nous partageons cela avec Claire. Cette vision lucide et terrifiée de tout ce qui s'enfuit. De ce qui naissant commence à mourir ou menace de disparaître. Claire se reposait et Chloé était une chose infiniment fragile et violette, ses yeux s'ouvraient par intermittence, et durant trois jours ses poumons crachaient des glaires, des amoncellements jaunes et visqueux. Des tubes s'insinuaient dans les veines minuscules de ses bras rougis, d'autres lui passaient sous le nez et diffusaient de l'oxygène. Je me rappelle avoir pensé, devant la panique des personnels hospitaliers dans les toutes premières minutes de sa vie, constatant qu'elle ne respirait pas ou presque, qu'elle souffrait et qu'on lui massait violemment le torse et le ventre, qu'on appuyait des mains impatientes sur sa peau fripée et encore sale, je me souviens avoir pensé « Non vous ne pouvez pas, vous ne pouvez pas lui faire ça » et cette pensée était une prière affolée. Une prière pour Claire et pas pour moi ni pour Chloé. Aujourd'hui encore je me demande ce que signifiait cette demande et à qui elle pouvait bien s'adresser.

Chloé grogne un peu, bouge la tête de gauche à droite, et sombre à nouveau. Je crois qu'avoir failli la perdre à la naissance a considérablement modelé mon attachement à elle, mon incapacité à la voir souffrir, ou simplement être triste ou juste insatisfaite. Sans doute aussi ma propre vie se mêle-t-elle à tout cela. Sans doute. Doucement, je ferme la baie. En contrebas du balcon, un couple s'embrasse. Le type relève la tête un instant, m'aperçoit et me fait un signe amusé. À nouveau je me glisse sous les couvertures et l'air froid me mord le visage. Le long de la plage, les derniers restaurants ferment, les enseignes s'éteignent. Tout se résume à la mer, au battement des vagues, au ciel obscur.

J'avais onze ans mais quand je repense à l'enterrement, au peu qu'il m'en reste en mémoire, je me dis que j'en avais six ou sept. Je me souviens d'une telle absence de trouble, de douleur, d'une telle incompréhension. Comme si ne se jouait devant moi qu'un simulacre étrange, un spectacle absurde auquel participaient mon père, des oncles et tantes que je n'ai jamais revus depuis, et mon frère droit comme un i, les yeux exorbités et muet. Je n'ai jamais cru que ce long cercueil de bois verni ait un jour contenu le corps disloqué de ma mère. Je n'y crois toujours pas. Quand je pense à ce rectangle plongé six pieds sous terre, j'entends distinctement le bruit sec et mat des pelletées sous quoi on l'effaçait, mais je reste persuadé qu'à l'intérieur il n'y a rien, ou bien un mannequin de cire, ou encore, mystérieusement, les années que l'on m'a volées. Souvent je me dis cela, que les premières années de ma vie ne sont pas tout à fait perdues, qu'elles sont juste enterrées sous des kilos de terre brune, quelque part au fond d'un trou, coincées entre quatre planches de bois, à la fois inaccessibles et faciles à déterrer. Tenter de forcer ma mémoire close m'apparaît alors comme une intolérable profanation.

Ma mère a été enterrée un matin de lumière crue, de soleil abrasif. Une cérémonie s'est tenue dans une église laide et cubique, nichée à l'angle de deux rues, entre une pharmacie et une agence immobilière, à proximité d'un panneau Saint-Maclou. Je me souviens de mes oncles suants et rouges, à l'étroit dans leurs costumes noirs, leurs souliers cirés, de mes tantes au maquillage coulé. À cet instant déjà je pressentais qu'ils chercheraient toujours à nous éviter, à ne surtout pas savoir comment nous nous en sortirions, comment nous allions vivre tous les trois, avec notre mère suicidée, notre épouse démantibulée. Comme si notre malheur pouvait les contaminer, se propager jusque chez eux et y semer la mort, la folie, la dépression. À cet instant aussi, à leurs masques grossiers le long de la nationale, j'ai compris qu'ils l'avaient toujours haïe, elle et ses drôles de manières, ses airs d'oiseau.

Groupés à l'entrée de l'église, en face du cinéma où l'on passait *Who's that girl*, vus des voitures qui défilaient, je suppose que malgré tout nous devions ressembler à une famille en deuil. Les croque-morts avaient des manières obséquieuses, des sourires tristes et adaptés, Antoine tenait mal sur ses jambes, les autres prenaient des mines de circonstance, et mon père serrait les dents. Je ne sais plus ce qui soudain le poussa à frapper son frère, là sur le parvis de béton, à lui faire gicler le sang du nez. Je me souviens juste des hurlements de l'autre, de mes tantes et d'un cousin plus âgé le ceinturant, de sa face congestionnée et furieuse à deux doigts du fourgon noir aux vitres teintées. De l'oncle s'éloignant, rejoignant sa Renault 18, suivi de sa petite famille outrée. Nous sommes entrés dans l'église et, assis en silence sur des bancs inconfortables, soufflant sur nos mains gelées, nous avons attendu qu'entre le cercueil, au son d'un orgue aigrelet.

Tout a glissé sur moi comme la pluie sur une vitre. Je n'étais pas là, je ne savais pas de quoi l'on parlait, je me demandais où était ma mère, ce que contenait cette longue boîte en bois verni, quand elle reviendrait, quand tout cela cesserait, ce mauvais rêve, cette méchante plaisanterie. Assis au premier rang, je fixais des vitraux bleu et rouge aux motifs abstraits, et Antoine me tenait la main. Il écoutait attentif les paroles du prêtre, un jeune type au regard amical, et dont les lèvres prononçaient des mots qui ne parvenaient pas à mes oreilles. Je me rivais à mon frère et ses yeux brillaient, des larmes s'y empilaient sans jamais couler, formaient une pellicule translucide et gélatineuse, une lentille d'eau salée. Et soudain il est tombé, moins dense qu'un chiffon. Sans le moindre bruit, l'intérieur de son corps s'est dissous, ne laissant de lui qu'une enveloppe fine et sans carcasse. Emporté par son poids j'ai chuté à mon tour, et la voix du prêtre s'est interrompue. Une vague de murmures m'a englouti. Les gens nous regardaient, moi à terre qui n'y comprenais rien, et mon frère aux yeux clos, évanoui. Mon père s'est penché vers nous et je revois très bien l'expression de son visage, la colère qui s'y logeait, comme si nous venions simplement de commettre une bêtise. Il a secoué mon frère, lui a donné deux claques, mais Antoine est resté immobile, étendu au milieu des travées, fragile et gracieux, la tête molle contre le sol gelé. Les secours sont arrivés très vite, le prêtre me tenait la main et m'assurait que ce n'était rien, que tout irait pour le mieux. Juste avant de partir, mon père l'a prié de poursuivre la cérémonie. Il a glissé quelques mots à l'oreille de l'une de ses sœurs, à qui il me confiait, et je l'ai vu disparaître, gagner la rue et la clarté du jour, portant au creux de ses bras le corps inanimé de mon frère. Je suis resté seul au milieu d'une famille où je ne comptais que des inconnus, la main coincée dans celle moite et grasse d'une tante obèse.

Dans sa voiture, en route pour le cimetière, il n'y avait pas le moindre bruit, et dans mon esprit ce silence se mêle à celui qui figeait nos matins quand j'étais gosse et que ma mère errait le cœur serré dans la maison. Ces silences se mêlent et font un bruit âcre et froid, qui me brûle la gorge et les yeux quand il s'élève, un bruit de moteur ou de vie morte, de pavillon déserté, de temps suspendu, qui me fait en voiture ou dans n'importe quel endroit allumer la musique pour le couvrir, et la nuit sortir me saouler du sifflement du vent, du vacarme de la mer, du commerce des oiseaux ou du froissement des feuilles.

Antoine et mon père ne sont pas revenus. L'enterrement s'est déroulé sans eux. Moi seul j'ai vu la boîte disparaître dans ce trou macabre, moi seul j'ai contemplé l'indifférence de mes oncles, de mes tantes, de mes cousins, moi seul j'ai vu la rose se poser sur le bois, les premières pelletées de terre le couvrir peu à peu, moi seul je me suis vu vomir contre un arbre, sans hoquet sans larmes et sans cri, comme on se vide infiniment, comme la vie vous quitte, vous abandonne, et vous propulse pour toujours dans un hiver sans fin.

Après tout ça, on m'a déposé chez moi. La maison était déserte et plongée dans l'obscurité, du moins c'est ainsi que je me la figure, alors qu'il faisait grand jour, qu'un soleil acide passait le ciel au papier de verre. Comment ma tante a-t-elle pu me laisser seul ? J'avais onze ans et on venait d'enterrer ma mère. Je me rappelle avoir eu la sensation d'être soudain minuscule et d'entrer par effraction dans une maison étrangère. J'avançais sur la pointe des pieds et comme dans le noir complet, touchais les murs, me tenais aux meubles. Je suis resté un long moment dans le salon, allongé au centre du tapis et les yeux fermés. À quoi pensais-je alors ? Sans doute à ma mère, à mon frère. Que restait-il de lui ? Où l'avait-on emportée ? Où les cachait-on ? J'ai passé plusieurs heures ainsi dans le silence absolu, immobile, et je crois qu'au fond, si je ne pleurais pas, c'est que les larmes m'inondaient à l'intérieur, noyaient mes organes mon cœur mon sang mes viscères mes poumons, jusqu'à me rendre liquide et pluvieux.

Le soir est tombé, grisâtre et aigre. À de nombreuses reprises, je suis allé vomir alors que tout hésitait entre chien et loup. Les escaliers avaient des craquements sinistres, de bois mort, d'arbres brisés sous la tempête. La porte a grincé longuement, s'est ouverte sur la chambre impeccable et triste. Je n'y mettais jamais les pieds, mon père nous l'interdisait. La journée, maman en fermait les volets, et s'allongeait dans la pénombre imparfaite. Quelquefois, elle prononçait doucement nos noms. De nos chambres silencieuses, nous entendions sa voix. Elle nous faisait signe d'entrer, nous demandait comment s'était passée la journée, si tout allait bien à l'école. Dehors le jour battait fort, on l'apercevait dans les interstices, le bouleau s'y balançait transpercé de soleil, branchages ciselés par la lumière. Entrer là sans permission, en l'absence de mes parents, était irréel. J'avais l'impression de pénétrer dans un musée, une pièce interdite, un lieu mortuaire. Tout m'y semblait mort et, effectivement, ma mère était morte et mon frère peut-être aussi, je ne pouvais pas m'empêcher de penser cela, qu'il était peut-être mort lui aussi, que la vie l'avait quitté en ne laissant que la chiffe molle de sa peau. C'est alors que j'ai eu ma première apparition. J'ai senti une présence dans mon dos, une main sur mon épaule. Je me suis retourné et là j'ai vu le visage de ma mère, un millième de seconde je le jure, j'ai vu son visage et elle souriait. Elle a disparu presque aussitôt. Je me suis mis à pleurer. C'est à ce moment que c'est arrivé, à ce moment seulement. J'ai pleuré longuement. Jusqu'à ce que mes yeux brûlent, jusqu'au vertige et à l'épuisement. Allongé sur le ventre, mes dents mordaient les draps et l'oreiller. Ma bouche y laissait des ronds pleins et baveux, des traces de dents bien alignées.

Plus tard dans la soirée, j'ai commencé à vider les armoires, les tiroirs de ma mère. J'en sortais des robes, des jupes, des chemisiers. De l'eau coulait sur mes joues et j'avalais des litres de morve. Les vêtements s'empilaient, pyramide sans tombeau, dérisoire et pathétique. Armé de grands ciseaux de couture, j'ai tout découpé. J'ai fait ça calmement, avec application, en respirant bien profondément pour retrouver mon souffle. C'étaient des lambeaux mêlés, des guirlandes de tissus multicolores qui s'entassaient dans les valises. Une à une je les ai jetées dans les escaliers, elles valdinguaient dans un grand bruit de bois et de plastique. Je les ai vidées sur le tapis du salon. Il faisait nuit et seule une lampe orange éclairait la pièce, son papier peint triste, ses meubles de bois sombre couverts de napperons, de compotiers, de babioles. J'ai mis ce disque que maman aimait tant, *California dreamin.* Il passait en boucle et bientôt ce fut un amoncellement d'un mètre de haut. Avec le papier journal que mon père entassait dans la remise, j'ai allumé un feu de cheminée. Muni d'une lourde pince en fonte noire, j'ai fait brûler un à un les morceaux de tissu. Certains d'entre eux dégageaient une fumée noire, une odeur chimique qui piquait les yeux et râpait la gorge. J'ignore le sens que prenaient pour moi ces gestes, et si seulement ils en avaient un.

Tout avait été réduit en cendres quand le téléphone a sonné. J'ai décroché et c'était mon père, il n'allait pas tarder. Mon frère était plongé dans le coma, à l'hôpital de Villeneuve-Saint-Georges. Son état était à la fois stationnaire et inexplicable.

Mon père est rentré, il était minuit et je faisais semblant de dormir sur le canapé du salon. Le feu était mort mais son odeur de bois et de tissu brûlés persistait. Les valises étaient rangées dans les armoires, les ciseaux dans la boîte à couture, et plusieurs fois tandis que je somnolais, j'avais cru sentir le souffle de maman sur mon front, ou entendre son pas dans les escaliers. J'ouvrais les yeux et il n'y avait rien. Je me persuadais très vite que les fantômes, ou du moins celui de ma mère, avaient la prescience de ces moments brusques où ceux qu'ils visitent s'aperçoivent de leur présence. Alors ils disparaissent en un souffle. J'ai passé de nombreuses années à jouer avec elle, à tenter de la surprendre, en ouvrant subitement les yeux, en les faisant cligner à toute vitesse. À plusieurs reprises j'ai réussi à l'entrevoir.

Mon père n'a jamais fait allusion aux vêtements de ma mère. Ce soir-là, après avoir fermé les volets du salon, il est monté dans la chambre d'Antoine. J'imagine qu'il a rempli un sac d'affaires de rechange. Je me suis endormi avec un sentiment de vide absolu.

Au réveil, mon père m'a ordonné de m'habiller en vitesse, nous partions pour l'hôpital. Mon frère dormait parfaitement immobile sur son lit de draps bleu pâle. Une vitre nous séparait de lui et des appareils mesuraient toutes sortes de choses à l'aide d'électrodes collées sur sa poitrine. Des tubes étroits et translucides se glissaient sous sa peau. Torse nu, les cheveux collés au front, Antoine avait tout d'un petit garçon. Il paraissait si frêle, si fragile, tout à coup. Mon père le regardait fixement, guettant un signe, un mouvement. Je crois qu'il le soupçonnait de faire semblant. Je me surprenais moi-même à chercher sur son visage et son corps d'infimes variations, des vibrations minuscules qui le confondraient et révéleraient son secret. J'en étais persuadé à mon tour : mon frère *faisait semblant* de dormir. Non pas pour emmerder le monde, comme le pensait mon père. Mais pour qu'on le laisse en paix. Qu'on le laisse à son chagrin. Pour garder les yeux fermés et conserver sur la rétine des images intactes de ma mère. Ne rien oublier. Ne rien perdre. Tout conserver à l'intérieur et que rien ne s'échappe.

Tout le temps qu'a duré son coma, six semaines au total, et bien après qu'on l'eut transféré dans une chambre où je pouvais m'approcher de lui et sentir son souffle, lui parler à l'oreille, embrasser son visage et passer sa main sur le mien, je crois que je n'en ai pas démordu : il jouait la comédie, il *faisait* le mort. Nous venions le voir et mon père ne restait jamais longtemps. Il sortait fumer une cigarette, passer un coup de téléphone, ou bien il repartait travailler et me récupérait au retour. Je demeurais des heures au chevet de mon frère, parfois des jours entiers, les mercredis, les samedis, les dimanches. La chambre était bleue et des infirmières entraient pour changer les sondes, les perfusions, les couches qu'on lui mettait. Parfois je devais sortir et dans les couloirs déambulaient des malades en chaussons. Près des fenêtres, leurs familles fumaient en faisant les cent pas. J'allais à la machine me payer des chocolats. Pendant ce temps, on lavait mon frère et il se laissait faire, à la fois lourd et mou, abandonné et difficile à manœuvrer. De loin, on me signifiait que je pouvais regagner la chambre. Je reprenais place dans le gros fauteuil, que je rapprochais du lit. Je contemplais son visage, je passais de longues heures à simplement le regarder. Ou bien je lui parlais à l'oreille. La plupart du temps je lui racontais mes journées au collège. Personne ne m'adressait jamais la parole et les profs ne m'aimaient pas. Parfois aussi je le testais. Lui racontais des blagues salaces, prononçais toutes sortes de gros mots ou de monstruosités, lui chatouillais les pieds, ou bien le visage avec une plume d'oiseau. J'attendais le sourire, le plissement des lèvres ou du front, le frémissement des narines qui le trahiraient. Une fois même, je murmurai à son oreille : « Maman est revenue. » Mais mon frère durant six semaines n'a pas donné de signe de vie autre que sa respiration parfaitement régulière, le mouvement de ses globes oculaires sous la nuit des paupières, que j'avais appris à discerner au fil du temps, repérant ainsi les périodes où il rêvait et où, sans doute, ma mère l'accompagnait, lui souriait ou lui embrassait les cheveux.

Ces six semaines ont passé en un souffle, un souffle nauséeux et trouble, chargé de l'haleine du sommeil profond de mon frère, nimbé d'une lumière d'hôpital, une lumière fade de murs bleu ciel et de néons, six semaines au parfum d'éther et de soupe froide, d'alcool à 90° et de détergent industriel, aux visages usés d'infirmières revêches, six semaines perché dans ce long bâtiment par-dessus les immeubles qui plongeaient vers le fleuve, la Seine épaisse et bronze, les phares des voitures en file, pare-chocs contre pare-chocs aux abords de la ville. Six semaines et le soleil se couchait sur les collines au loin, plantées d'immeubles et de barres qui semblaient des rectangles de Lego. Le ciel prenait des teintes fauves ou citronnées, violines ou phosphorescentes, se lézardait violemment, strié par les traînées des avions décollant d'Orly tout proche. Mon frère dormait immobile, le drap remonté sur son torse nu, plongé dans un coma sans cause, inexplicable, auquel se heurtaient tous les diagnostics, les pronostics, les analyses des médecins impressionnants dans leurs blouses, leur jargon, leurs tempes argentées, leurs peaux soignées, leur aura de réussite.

Mon frère s'est réveillé un soir et, à ma grande surprise, ce ne fut pas plus étrange ou extraordinaire que des yeux qui s'ouvrent et se posent sur ce qui les entoure, les murs et la fenêtre, les arbres qui se balancent, le ciel au loin, craquelé de rouge et de bleu crème ce soir-là, les immeubles puis moi, assis dans le grand fauteuil, sous le téléviseur suspendu. Il m'a souri faiblement, a refermé les yeux un moment. Quand il les a rouverts, j'étais près de lui.

– Tu as fait semblant, hein ? T'étais pas dans le coma, en vrai ?

Il s'est tourné vers moi, pris dans les brumes. Il m'a regardé longuement, ses yeux s'appuyaient sur mon visage, sans reproche, sans ironie, sans tristesse. On y lisait juste la fatigue et la détresse. D'une voix pâteuse il m'a demandé où était maman. À l'expression de son visage, j'ai compris qu'après six semaines hors du monde il espérait de tout son cœur avoir fait un mauvais rêve. Il espérait que l'absence et le trou noir dans lequel il était tombé avaient tout effacé, tout lavé, que le monde était neuf et recommencé, et notre mère vivante et pas jetée du haut des falaises. Très lentement, j'ai prononcé ces mots irréfutables : « Maman est morte. » Et le visage de mon frère s'est couvert de larmes.

Je n'ai pas alerté les infirmières. J'étais seul avec mon frère dans cette pièce aux murs laqués, nous étions deux orphelins au milieu d'un immense hôpital, d'un désert de collines, d'immeubles, et d'avions se croisant dans le ciel, un désert de routes et de fleuve, de zones commerciales, de lotissements pavillonnaires, de parkings immenses et de réseaux ferroviaires. J'ai ôté mes chaussures et je suis venu m'allonger près de lui dans le lit étroit. Il a voulu me prendre dans ses bras mais il était trop faible, ses membres étaient mous, son corps amaigri, son ventre creusé laissait voir ses côtes saillantes.

II

Toutes lumières éteintes

Je rallume quatre bougies. Je les dispose sur la table basse en plastique. Les flammes tremblent un peu, menacent à tout moment de s'éteindre. C'est un rituel à deux sous, une cérémonie dérisoire, mes petits arrangements avec mes morts, avec ma mère tombée là au bout de mon regard. La plage est déserte et les falaises viennent de s'éteindre. Ce ne sont plus que des masses à peine discernables, du noir sur le noir de la nuit, des textures superposées, du coton sur de la soie.

La baie s'entrouvre et le visage de Claire apparaît. Elle a froid et se frictionne légèrement les bras, qu'elle garde croisés sur sa poitrine. Son visage luit dans la pénombre imparfaite, et sa chemise de nuit volette autour de son corps plein et léger. Elle se penche vers moi et m'embrasse.

– Tu ne dors pas ?

– Ils viennent d'éteindre les falaises.

Elle plante sa langue entre mes dents et je promène mes doigts sur son cul, mes mains sont froides et elle frissonne. Je lui propose une gorgée de whisky, elle jette un regard à la bouteille à moitié vide. Elle ne dit rien. Il y a si longtemps qu'elle se tient à mes côtés, des années entières et jamais, jamais elle n'a prononcé le moindre mot au sujet des quantités d'alcool que j'ingurgite et qui me tiennent debout je le sais, me colmatent et me hissent à niveau, me protègent et m'anesthésient. Jamais non plus elle ne s'étonne de mes sorties nocturnes. Pas même quand, au petit jour, je me déshabille et colle mon corps congelé à sa peau tiède. Alors elle approche sa bouche de mes lèvres, elle respire mon odeur de tabac, de fougères, de sel et de vodka, elle m'entraîne en elle et nous tanguons dans l'aube naissante.

– Je vais me recoucher.

Sa main s'attarde sur mon visage et elle disparaît dans la chambre, rejoint Chloé qui endormie réclame un peu de lait. Claire la berce et son chant se noie dans les vagues et les galets roulés.

Deux ans avant que Chloé naisse, nous avons quitté Paris, notre appartement tordu aux murs jaunis, au plancher pas droit couvert de tomettes orange. Nos fenêtres sur cour et, en face, des lucarnes muettes où passaient des silhouettes, des corps et des visages devenus familiers. J'avais passé des nuits entières, des jours gâchés à les contempler, à repérer leurs menues habitudes, leurs gestes répétés. Au quatrième, la vieille se mettait au lit vers vingt heures. Vêtue d'une chemise rose, les cheveux couverts d'un genre de bonnet, elle lisait jusque tard dans la nuit, son caniche à ses pieds, et je m'endormais avant elle. Claire ronflait et je trouvais cela charmant, tout m'émouvait en elle, son visage éclatant, son rire comme du cristal, sa manière de veiller sur moi et de m'absoudre, sans jamais se plaindre ni rien demander en retour. Durant de nombreux mois après la mort de Léa, j'avais renoncé à toute activité, je me faisais l'effet d'un parasite, d'une larve encombrante, mon sang était noyé dans l'alcool, y circulaient des psychotropes divers, il m'arrivait de ne pas décrocher un mot de la journée mais Claire ne disait rien. Elle rentrait tard du travail et nous dînions à la lueur des bougies. Nous faisions l'amour sur le canapé, la musique jouait fort et sa bouche était fraîche. Elle s'effondrait de fatigue et je baissais le volume du disque qui passait alors, elle dormait et j'écoutais à la file des chansons tristes et lentes. La plupart du temps, mon cerveau était tout à fait vide, j'étais incapable de penser à rien, je collais mon front à la vitre froide, j'observais mes voisins, l'étudiant du cinquième visage rivé à son ordinateur et nimbé d'une lueur irréelle, le petit vieux du troisième qui repassait en caleçon des pantalons anthracite, et laissait voir des jambes maigres et parcourues de grosses veines violettes. La jeune femme du deuxième, fumant dans sa cuisine, journal ouvert sur la table, les yeux perdus dans le vague, et plus tôt dans la soirée je l'avais vue aux côtés d'un enfant en pyjama, cheveux mouillés et coiffés en arrière après le bain, mangeant leur soupe brûlante en se souriant de temps en temps.

Je m'endormais tandis que, au-dehors, la rumeur matinale montait lentement. Dans un demi-coma, étrangement frigorifié, j'entendais Claire se lever, faire couler la douche et préparer le café. Puis la porte claquait sur le silence et je m'enfonçais dans un sommeil sans rêve.

Voici à quoi ressemblait notre vie les premiers temps. Je ne sais où Claire a trouvé la force de me tenir à flot, de me couver de ses regards indulgents, justes et aimants, où elle cachait ces réserves de patience, d'intelligence et de gaieté. Nous avons quitté Paris et c'était comme fuir une ville morte. Tous les gens que j'y croisais ressemblaient à mes voisins, ombres réduites à la fatigue, à l'enchaînement de gestes quotidiens. La ville m'étouffait et chacune de ses rues me semblait marquée au fer rouge du souvenir et de la perte. Claire répétait qu'il fallait partir, *qu'il fallait qu'on se sauve*. Elle voulait sentir la mer, la sentir chaque jour, chaque minute, dès que l'envie lui en prendrait. Elle aussi charriait son lot de fantômes. La mort de Léa l'affectait en profondeur, même si elle n'en disait jamais rien, la mort de Léa l'avait blessée plus encore que je ne l'avais imaginé, et aujourd'hui encore m'échappe la nature véritable des liens qui les unissaient. On ne sait jamais rien de ce qui se noue entre les êtres, eux-mêmes souvent l'ignorent, et le découvrent en se perdant.

Un jour de mai, nous avons emménagé dans une longère minuscule, à quelques pas de landes désertes et battues par les vents, où dérivaient des oiseaux et des courants porteurs. Claire en avait les larmes aux yeux, et en moi quelque chose se desserrait enfin, paraissait vouloir survivre. Nous nous sommes regardés comme deux enfants étonnés, et une autre vie a commencé.

Une semaine après son réveil, Antoine est rentré à la maison. Pendant deux mois, il n'a pas prononcé le moindre mot. Jusqu'aux grandes vacances. Pourtant, durant cette période, il est allé à l'école. Il y suivait les cours sans plus d'application qu'auparavant, mais on le laissait en paix. Ses camarades étaient prévenus et tout cela dressait autour de lui une aura de mystère et de respect qui ne fit que croître au fil des années. À son statut d'orphelin s'ajoutaient l'énigme de son silence, l'horreur d'une mère suicidée, la réputation terrifiante de notre père, et une panoplie complète de forfaits divers : expulsions, colles, rixes, absences injustifiées, insultes proférées envers des enseignants, port et usage menaçant de cutter, cigarettes, alcool et joints dans l'enceinte du collège, vitres cassées du CDI, coups et blessures à l'encontre d'un pion, mise à sac du bureau du CPE... S'y agrégeaient une poignée de records en natation et en athlétisme et quelques moments d'excellence inattendus en histoire ou en français.

Certains professeurs le regardaient de travers, soulignant qu'à l'instar de mon père ils n'étaient pas dupes de son *petit manège* mais dans l'ensemble, tous ont fait preuve de compréhension et de patience. Antoine était exempté de participation orale, et on ne lui refusait jamais de se rendre à l'infirmerie. De la fenêtre de ma classe où se cognait un soleil dur, je le voyais traverser la cour, s'allumer une cigarette et lâcher vers le ciel de longs traits de fumée. Mes voisins le remarquaient aussi, et des rires nerveux parcouraient la salle. Je levais la main et prétextais des maux de tête. Mme Dausse secouait la tête, et si elle n'en disait rien, je voyais bien qu'elle me soupçonnait à raison d'abuser de la situation, d'en profiter. J'avais onze ans et ma mère était morte. Avec le recul des années, je me dis qu'au fond, tout ce temps, je n'ai jamais rien fait à la hauteur de ma douleur. Mon frère s'en chargeait. Les couloirs étaient déserts et par les vitres intérieures défilaient des visages appliqués et d'autres rêveurs, des dos courbés sur des copies doubles à petits carreaux, des regards fixés aux tableaux verts couverts de craie. Je quittais les préfabriqués bleu nuit et rejoignais mon frère près du parking à vélos. Des roues voilées s'enchaînaient à des poteaux rouillés. Antoine m'attendait là et écrasait son mégot de la pointe de sa chaussure. Avant de sortir du collège, il nous arrivait de faire un détour. Les voitures des professeurs brillaient en retrait des bâtiments, à deux pas du gymnase et de la grille sans surveillance, qu'il suffisait de sauter pour être libre. Antoine ne choisissait pas ses victimes, il opérait au hasard. Je faisais le guet tandis que de sa poche il sortait un cutter, et l'enfonçait d'un geste sec dans les pneus d'une Renault 20 bleue ou d'une Golf noire. Parfois aussi, il faisait crisser ses clés sur la peinture neuve, ou d'un jet de pierre éclatait une vitre.

Nous ne rentrions jamais directement. La ville était comme inhabitée, un dortoir en plein jour. Des bus passaient qui ne conduisaient personne, de rares boutiques s'ennuyaient infiniment dans l'après-midi désert. Nous longions des maisons vides, des courts de tennis à l'abandon, des jardins que gardaient des chiens sales. Obstinément, mon frère se taisait et nous échangions parfois des signes. En sa présence, comme contaminé, j'étais incapable d'ouvrir la bouche. Le cimetière était nu dans la lumière. Des petits vieux y contemplaient des dalles couvertes de poussière, des pots où fanaient des fleurs mauves. La tombe de notre mère s'y nichait sans fioritures, nous la fixions les mains croisées et Antoine mâchait des mots inaudibles.

Nous retardions autant que possible le moment de regagner la maison. Notre père ne reviendrait qu'à la nuit tombée. Antoine faisait chauffer de l'eau et cuire des légumes. Nous passions les disques de maman avant qu'il arrive. Alors ce serait le silence complet et mon père, au bout de la table, mastiquant sèchement sa viande, ne nous adresserait pas la parole, se contentant lorsque son regard croiserait celui d'Antoine de secouer une tête affligée et d'aboyer : « T'as rien trouvé de mieux pour te rendre intéressant ? Je vais t'en retourner deux et, crois-moi, ça va pas traîner, tu vas la retrouver, ta langue. »

Le repas achevé je débarrassais la table et mon père se plantait devant le téléviseur. Il ne tolérait aucun bruit et finissait toujours par s'assoupir. La vaisselle sèche et rangée, je rejoignais Antoine dans sa chambre. Assis à son bureau, il me tournait le dos et je posais la main sur son épaule. Il faisait pivoter son siège et me souriait les yeux encore embués de larmes. Sur le lit côte à côte, nous lisions des bandes dessinées jusque tard dans la nuit, écoutions tout bas la radio, suivions en aveugles d'obscurs matchs de football opposant Lens à Laval.

Puis vint l'été et, comme si de rien n'était, mon frère retrouva la parole. Ce fut si soudain et naturel que je ne me rappelle pas les circonstances exactes de ce miracle. Je crois qu'à table il me demanda le sel et que, alors que je le lui tendais, il laissa échapper un *merci* anodin qui ne fit même pas réagir mon père.

Une saison menaçante et glacée a alors commencé. Durant quatre ans, nous avons vécu dans un silence obsédant, que rien ne devait troubler. Durant quatre ans nous avons hanté cette maison comme des fantômes, sans prononcer un mot lors des repas que nous prenions devant le téléviseur allumé. Durant quatre ans nous avons fui la colère de notre père excédé en nous réfugiant dans nos chambres, où nous nous retrouvions même après le *couvre-feu*, tandis qu'il ronflait au salon. Toujours il s'endormait devant le film ou les émissions de variétés, Patrick Sébastien Jean-Pierre Foucault Michel Drucker. Nous chuchotions et je ne sais plus aujourd'hui quels secrets s'échangeaient au creux de nos murmures. Parfois, notre père nous surprenait et me hurlait de regagner ma chambre, me menaçait d'une trempe ou de m'étriper sur-le-champ. J'ignore en quoi nous pouvions le déranger. Je crois qu'il nous aurait voulus morts. Morts et empaillés.

Il ne fallait jamais faire de bruit ni hausser le ton,

il ne fallait jamais rire ni chahuter ni se chatouiller ou se poursuivre dans la maison, il ne fallait jamais écouter de musique ni lui parler de quoi que ce soit. Il ne fallait jamais laisser passer plus de trois secondes avant d'exécuter un de ses ordres, il ne fallait jamais lui répondre, jamais émettre d'avis contraire au sien, jamais émettre d'avis tout court. Il ne fallait pas jouer dans le jardin, pas piétiner son gazon, pas faire rouler le ballon sur ses fleurs. Il ne fallait pas toucher sa chaîne hi-fi, ne surtout pas briser une assiette ou un verre, il ne fallait pas qu'il entende nos pas à l'étage s'il était installé au salon. Il ne fallait pas ramener de filles ou de copains à la maison, il ne fallait pas fréquenter d'enfant noir ou métis ou arabe, il ne fallait pas fréquenter ceux de la cité. Il ne fallait jamais évoquer maman ou regarder ses photos ou poser de question à son sujet. Il ne fallait pas être malade ou, d'une quelconque façon, *commencer à l'emmerder.* Il ne fallait pas pleurer devant lui, pas même après qu'il nous eut giflé, et de ses coups ne jamais se défendre ou se protéger. Il ne fallait rien lui confier de nos vies, il ne fallait pas rechigner à aller faire les courses, laver la vaisselle, tondre la pelouse, passer l'aspirateur, sortir les poubelles ou l'accompagner au supermarché. Il ne fallait pas raconter de blagues ou pouffer en se regardant, il ne fallait pas se mettre en colère l'un contre l'autre ou s'asticoter ou se faire rager. Il ne fallait pas parler du monde extérieur, des copains, de l'école. Il ne supportait pas le moindre courant d'air, le moindre bruit au-dehors, le moindre rire l'indisposait, le moindre cri le hérissait, deux jeunes qui couraient dans la rue étaient forcément des *merdeux*, une fille qui embrassait un type une *salope*, une *pute* si le type était noir ou arabe. La musique était forcément *de sauvage* ou *de nègre*, les présentateurs à la télé des imbéciles, les journalistes des vendus, les fonctionnaires des fainéants, les politiciens des voleurs. Le monde n'était que chaos où se perdaient des valeurs, l'immigration y constituait une sourde menace et la jeunesse une plaie. Les musiciens, les artistes en général étaient des drogués, les chômeurs des parasites, les homosexuels des *détraqués*. Chaque jour à seize heures mon père se branchait sur RTL et écoutait *Les grosses têtes*. Chaque matin la radio se déclenchait et aujourd'hui encore, quand j'entends par hasard le jingle de cette station, des frissons d'horreur et de dégoût me parcourent l'échine.

Il ne fallait pas respirer pas bouger pas parler pas sentir. Il ne fallait avoir besoin de rien, ni argent de poche ni réconfort ni gestes tendres ni sourires ni conseils, il ne fallait rien attendre sinon les trempes, les baffes ou les torgnoles qu'il nous collait à tour de bras, se contentant parfois de nous prendre par le col, de nous tordre l'épaule, de nous tirer les cheveux et de nous balancer dehors ou dans notre chambre. Nous nous retrouvions sur le plancher noyés de larmes, ou dans le jardin gelé en hiver, vêtus de notre pyjama ou d'un simple tee-shirt.

Mais le plus souvent, mon père commençait par gueuler, menaçant de nous envoyer en pension ou à l'armée, de nous dresser et nous apprendre ce qu'était la vie. Il nous promettait les coups de ceinture que nous méritions, ainsi que son propre père le faisait lorsque, à table, lui ou l'un de ses frères et sœurs prenait le risque de chuchoter. Puis il nous giflait et il nous fallait rester stoïques. Si par malheur les larmes affleuraient, mon père haussait le ton d'un cran encore et nous bombardait d'insultes, nous traitant de pédés, de lavettes, nous répétant combien nous lui faisions honte et pitié à la fois.

Chaque jour ou presque, mon père explosait ainsi, sans motif, pour un papier qu'il ne trouvait pas, des clés prétendument égarées quand elles étaient dans sa poche, des chaussures qui traînaient dans l'entrée, une trace sur le carrelage, un verre mal lavé, un lit défait, une fleur écrasée. Après nous avoir punis, il quittait la maison et, selon les jours, partait en voiture ou bien passait des heures entières dans le jardin à fendre des bûches. Nous restions pétrifiés dans la chambre d'Antoine, tandis que nous parvenaient le bruit du moteur s'éloignant à plein régime, ou les ahans de mon père abattant son merlin sur le bois, le bruit sec et répétitif de l'impact. D'abord rongés par la peur, la peur qu'il se blesse avec la hache, ou qu'il ait un accident de voiture, nous en venions progressivement à souhaiter sa mort. C'est dans ces moments-là que ma mère choisissait le plus souvent de se manifester, j'entendais sa voix et Antoine me regardait soudain, ou bien c'était le contraire. Nous n'avions pas besoin de nous parler pour vérifier que l'autre avait entendu lui aussi.

J'ignore où allait mon père alors, au volant de sa voiture, l'enseigne de taxi éteinte et recouverte d'un capuchon noir imperméable. Longtemps je l'ai imaginé rouler jusqu'au périphérique et faire le tour de Paris sans jamais prendre la sortie. Les panneaux défilaient, et les enseignes rouges dans la lumière des phares. Un peu plus tard, je me suis persuadé que mon père dans ses accès de colère allait voir des prostituées, à Paris ou en lisière de la forêt de Sénart, épuisait sa haine entre leurs jambes. Aujourd'hui je ne sais plus. Me reste juste le sentiment du temps suspendu entre son départ et son retour, la porte qui s'ouvrait soudain, le froid qui entrait dans la maison, et sa voix qui hurlait : « J'ai pas intérêt à vous entendre » alors qu'aucun son ne s'échappait de nous, pas même celui de nos respirations, que nous avions appris à retenir, à moduler, à contrôler jusqu'au silence le plus absolu.

Tout ce temps, mon frère et moi, nous ne nous quittions que rarement. Il venait me chercher à la sortie du collège, le plus souvent flanqué de Nicolas. On longeait des terrains vagues, des maisons basses aux murs humides, des bars vides où des serveuses s'emmerdaient ferme. Des boucheries où s'entassaient des vieilles munies de cabas. Des parkings à moitié vides, jouxtant des supermarchés aux murs de tôle, des gymnases aux murs graffés, des terrains de sport où manquaient des cages et des panneaux de basket. On retrouvait les autres en lisière des forêts. La route était barrée et plus loin le béton se raréfiait puis c'était de la terre, de la boue et des fougères, des nuées d'arbres et de clairières. Personne ne me faisait jamais de remarque, personne ne se souciait de mon âge et c'était bien ainsi. Je m'asseyais sur la barrière, un poste jouait les Smiths, Cure, Lou Reed, les Clash ou Nirvana, et les infrabasses s'enfonçaient dans la terre meuble et mêlée de sable. Ils étaient une dizaine, parfois moins parfois plus, autant de garçons que de filles. Ils s'enfilaient des 8/6, de la tequila et du gin. Elles sirotaient des cocktails Piterson, et je les imitais. Les joints tournaient et de petits cachets passaient de main en main. Les filles étaient vêtues de noir et très maquillées, certaines avaient les cheveux striés de mèches bleues, rouges ou orange. Lorette était la plus jeune d'entre elles. Elle accompagnait sa sœur : Laetitia lui ressemblait trait pour trait et, à la manière qu'il avait de la fixer du regard, je comprenais qu'elle plaisait à Antoine. À Nicolas aussi, d'ailleurs. Souvent, Lorette venait s'asseoir près de moi et nous partagions la même cigarette. La nuit tombait sur la forêt bruissante et certains soirs on y brûlait de grands feux. On s'installait tout autour, certains jonglaient et d'autres se serraient dans les bras, s'embrassaient et j'observais les mains aller et venir sous les pulls en laine. Quelques-uns s'éclipsaient, s'enfonçaient dans les taillis, à deux ou à trois, et ce n'étaient jamais les mêmes. D'un jour à l'autre les couples se formaient, se déformaient, se recomposaient, les configurations changeaient, s'inversaient. Je prenais leur suite, les cherchais dans les sous-bois humides. Je marchais dans le noir et les fougères m'arrivaient aux chevilles, j'écrasais les orties et la bruyère. Mes mains se posaient sur des troncs d'arbres, frôlaient la mousse gorgée de pluie. Je marchais en aveugle et finissais par les entendre gémir. J'écoutais le bruit de leurs bouches, leurs baisers et leurs peaux emmêlées. Mon sexe gonflait à exploser, je le sortais et le caressais dans la nuit froide. J'éjaculais dans les buissons, les ronces et les arbustes. Puis je rejoignais le groupe et Lorette me regardait en biais, ou bien c'est moi qui me sentais regardé de travers. Antoine souriait et me faisait goûter sa bière. Il dansait près du feu, et Laetitia le rejoignait. Leurs yeux brillaient, leurs bras étaient des ailes déployées, leurs corps infiniment légers, harmonieux, aériens.

Parfois aussi, nous nous installions près du fleuve. De minuscules plages de sable trouaient les berges, des rangées d'arbres alignés nous faisaient un rideau. En face, les immeubles étaient des myriades de lumières allumées. Des cracheurs de feu nous rejoignaient, ils vivaient pour la plupart à Ris-Orangis, squattaient une usine désaffectée où ils avaient des ateliers. Ils attendaient la nuit pour opérer, portaient de gros pulls en laine et pas de combinaison ignifugée. Des flammes sortaient de leurs bouches, semblaient rebondir sur la paroi de l'air. Ils s'accroupissaient et des langues de feu léchaient le fleuve, l'eau prenait des teintes orange avant de redevenir huileuse et noire. Antoine buvait beaucoup, attrapait tout ce qui pouvait se fumer ou s'avaler. Il était tellement ailleurs, il était un corps qui danse, un corps en extase. Le feu, le fleuve, le ciel et la nuit étaient au bout de ses doigts. La musique se faufilait dans chacun de ses membres, et l'amour coulait dans ses veines. Il nous serrait dans les bras les uns après les autres, nous chuchotait d'être heureux, et nous parlait comme s'il allait mourir demain. Comme si pour lui tout était déjà joué, achevé. Comme s'il avait raté la cible une fois pour toutes et ne s'en remettait plus qu'à l'ivresse, à la vitesse et aux sensations.

Ces années-là sont des années de meute, et Antoine était pour tous un genre de guide, une figure tutélaire et magnétique. C'est lui qui décidait des lieux de réunion, qui trouvait l'herbe, le shit, puis l'ecstasy, lui qui chaque semaine apportait des cassettes enregistrées ou volées d'où surgissaient des musiques inconnues des téléviseurs et des stations de radio. Lui qui encore distribuait les livres qu'il volait chez Gibert. Vian, Bukowski, Céline, Kerouac, Salinger. Partout où il allait, je l'accompagnais, et nos vies ne commençaient pour ainsi dire qu'une fois sortis de l'école. J'y suivais les cours comme un fantôme, ne me liais à personne, guettais patiemment la sonnerie. Antoine m'attendait près des grilles. Il discutait avec Nicolas, Luis ou Karim, s'interrompait sitôt qu'il me voyait, et m'ébouriffait les cheveux avant de dire : « En route. » Nous passions le moins de temps possible à la maison, fuyant à la fois les colères de notre père et la présence invisible mais entêtante de notre mère. La vraie vie était ailleurs et elle vibrait. La vraie vie se lovait au creux des bras de Laetitia et sous les baisers de Lorette.

Elles vivaient au douzième étage d'une tour gris perle, aux confins extrêmes de la cité Youri-Gagarine. De leurs fenêtres, on pouvait voir notre maison, et plus loin le fleuve et la nationale, l'étang artificiel en contrebas. La nuit les phares faisaient des guirlandes ou des traînées de poudre. Un peu plus loin encore, après la gare où brillaient des trains métalliques, les voies se rejoignaient et se séparaient à nouveau, dessinaient d'étranges itinéraires. L'autoroute traçait vers l'ouest et on regardait ça front collé aux vitres froides, Antoine disait qu'il fallait partir, prendre des trains des camions des voitures, suivre les lumières, aller vers la mer, et Laetitia l'écoutait. Elle se réfugiait dans ses bras et il la serrait comme on serre la seule chose qui nous retienne ici-bas. Lorette restait plus longtemps encore à fixer tout ce qui s'en allait, ce réseau de partances, elle avait des yeux de folle, et le sang bouillonnait dans ses veines, quelque chose semblait vouloir jaillir hors d'elle.

Je me souviens aussi de cet appartement l'été, Antoine et moi sur le lit torse nu, Lorette et Laetitia seulement vêtues de leur slip et de tee-shirt à bretelles, nos quatre têtes se touchaient, se rejoignaient au centre du lit et nous formions une étoile. Les yeux au plafond ou bien clos, Lorette me caressait le bras. La musique battait fort sous nos crânes, l'herbe frayait dans nos poumons, nos veines, et du bout des doigts j'effleurais ses cuisses, sa poitrine minuscule où perlait la sueur. Nos corps se rapprochaient, je l'enlaçais et ma bouche cherchait sa bouche. Elle sentait mon sexe dressé contre son ventre et ne disait rien, ou bien juste comme une prière, *serre-moi, serre-moi fort*.

Souvent, Antoine nous gueulait de dégager, de le laisser seul avec Laetitia. On mettait la télé à plein volume, et parfois un disque par-dessus mais on les entendait baiser quand même, et j'aurais juré qu'ils pleuraient tous les deux en le faisant. Dans ces moments, Lorette se calait contre le mur, ma tête reposait sur ses cuisses maigres et lisses, et elle suçait son pouce. Elle avait l'air d'une enfant et c'était une enfant quand j'y pense. Nous avions treize, quatorze ou quinze ans, et nos yeux brillaient à force d'alcool. D'autres fois, nous quittions l'appartement. Je prenais avec moi une bouteille de vodka que je glissais dans mon sac. On s'installait sur un banc, les tours au-dessus de nos têtes étaient des ombres gigantesques, la nuit tombait et les fenêtres s'allumaient une à une, se reflétaient dans l'eau en de minuscules et troubles flaques de lumière dorée. Je lançais des cailloux plats et les faisais ricocher à la surface. Lorette grelottait, elle avait toujours froid, je la pressais contre moi et je sentais en elle comme une peur ancienne, une fissure que rien ne comblerait jamais. Elle pleurait ou tremblait de plus belle, sous ses yeux coulaient des larmes noires, je l'embrassais et elle mordait ma langue. Antoine et Laetitia nous rejoignaient. Ils ne marchaient plus si droit et Antoine finissait toujours par retirer ses chaussures, remonter son pantalon aux chevilles et s'enfoncer dans l'eau vaseuse et glauque.

À cette époque aussi, nous passions beaucoup de temps chez Nicolas. Antoine et lui s'étaient rencontrés un jour dans un café et ne s'étaient plus quittés. Je l'aimais bien. C'était un garçon secret, timide et taciturne. Il était éperdument amoureux de Laetitia et n'en disait jamais rien. Il portait ses cheveux longs et très lisses, et chaussait ses lunettes de manière à ce que les branches restent visibles. Il passait le plus clair de son temps sur son ordinateur, à inventer des programmes compliqués et obscurs, auxquels nous ne comprenions rien, disparaissait des week-ends entiers pour se consacrer à de nébuleuses parties de jeux de rôles. Sa mère était infirmière, elle faisait les nuits, et quand on arrivait dans la petite maison coincée au fond du jardin étroit, elle restait dans sa chambre à dormir. On ne la voyait presque jamais, mais elle était douce et gentille. Elle fumait beaucoup et se nourrissait exclusivement de café. De temps en temps, vêtue d'une vieille robe de chambre au coton râpé, elle s'attablait dans la cuisine et s'allumait une cigarette. Elle nous jetait des regards très tendres par la porte ouverte. Il lui arrivait de nous préparer des steaks, des frites ou des hamburgers, ou de se joindre à nous quand nous regardions des vidéos, Roland-Garros ou le Tour de France, avachis dans le canapé défoncé, au milieu du salon triste et sans décoration. Les soirs de congé, elle veillait près de nous et, sur M6, on passait ces films érotiques où les hommes comme les femmes gardent leur slip pour s'accoupler sur des peaux de bêtes, tandis qu'un saxophone souligne la sensualité de l'instant.

Le plus souvent, nous descendions à la cave. Nicolas y avait un baby-foot aux barres faussées, un flipper antique, une batterie de fortune sur laquelle il tapait comme un sourd et de grands tabourets qui dataient du temps où son père tenait un bar en centre-ville. Le bar n'avait jamais marché, et cette ville au fond n'avait jamais eu de centre. Il travaillait désormais à Rungis, où il déchargeait des palettes de fleurs, de viande ou de légumes, ça dépendait des jours. Il ne rentrait jamais directement, passait des heures au PMU, et quand par hasard on le croisait, on sentait qu'on n'était pas les bienvenus. Il suait de l'alcool et ses yeux étaient jaunes, enfoncés au creux d'un visage au couteau. Il venait parfois à la cave, nous regardait en silence, crachait par terre et prenait sa carabine. Très lentement il nous mettait en joue, avant de partir dans un grand éclat de rire qui nous glaçait. Puis il la chargeait et sortait dans le jardin. Là, il passait des heures et ses nerfs à faire des cartons sur des bouteilles. Les voisins se plaignaient du bruit mais il s'en foutait. Près du garage, il entreposait des fûts rouillés qu'il emplissait d'eau. À l'intérieur nageaient dans le trouble d'énormes silures qu'il ramenait de la pêche chaque dimanche. Il les prenait dans la Seine et les laissait mourir. Il élevait aussi des lapins. Ils s'entassaient par grappes dans des cages au fond du terrain, chiaient sur la paille et mastiquaient des carottes et des épluchures de pommes de terre avec un regard vide. J'ignore ce qu'il comptait en faire. Ce que je sais, c'est que Nicolas devait les nourrir et nettoyer leurs cages, et qu'il pouvait pas les blairer ces bestioles.

On a passé tellement d'heures, de nuits, de jours entiers dans l'obscurité du sous-sol. On descendait des bières par packs entiers, on fumait du matin jusqu'au soir, nos yeux brillaient et nos cerveaux s'embrumaient, anesthésiés et oublieux. Luis amenait sa guitare, Alex sa basse, et avec Nicolas comme batteur ils massacraient *Smells like teen spirit*, *Come as you are* ou *Hey Joe*. Lorette et Laetitia nous rejoignaient, on se planquait dans les coins sombres, on baisait à deux pas des autres et on faisait mine de ne pas s'en rendre compte. Lorette me suçait dans la poussière et je la prenais contre le ciment, ses cheveux mélangés aux toiles d'araignées. Le temps passait ainsi, on le tuait en le noyant d'alcool, en le saoulant de musique et de lumières, en le couvrant de sperme et de baisers.

La dernière fois que nous l'avons vu, Nicolas s'était rasé le crâne. Son père l'avait frappé à la tête, de la crosse de son fusil. Ce n'était pas la première fois. Sa mère avait dû le soigner et le recoudre. Il portait un pansement juste au-dessus du front. Il nous a dit ça d'un trait, sans douleur apparente, très calmement, comme s'il s'agissait d'un incident sans importance. On est rentrés chez lui et il était plus silencieux qu'à l'accoutumée. Plus silencieux et opaque encore. Antoine lui jetait des coups d'œil inquiets. On a commencé un baby-foot, et je me souviens encore de l'odeur de ciment et de liège qui régnait là, des pièges à souris aux quatre coins de la pièce, du sol en terre battue et de la fenêtre rectangulaire qui donnait sur le jardin à ras du gazon, des vieux journaux empilés, des chaises cassées, des tables entreposées, des sacs de toile suspendus à des crochets et remplis de sable, des gants craquelés dans la poussière. On jouait sans conviction, la gorge nouée, et Nicolas a disparu quelques instants. J'ai pensé qu'il allait chercher des bouteilles ou son poste de musique. Il est revenu avec la carabine. Antoine, ça lui a allumé des lumières dans les yeux. Nicolas nous a fait signe de le suivre et sur son visage on ne pouvait rien lire. On a marché derrière lui, je tremblais de peur et, dehors, le jour m'a ébloui. On s'est dirigés vers le fond du jardin. Les murs étaient couronnés de barbelés. Dans un des fûts, un silure était mort et gisait sur le flanc, juste sous la surface de l'eau dégueulasse. Nicolas s'est tourné vers nous, il avait aux lèvres un drôle de sourire. Du menton, il nous a désigné les lapins : « Ça vous tente ? » Antoine n'a rien répondu, et moi j'étais planqué derrière. Nicolas a armé le fusil, enclenché le cran de sûreté et il a tiré. Il s'y est repris à trois fois pour tuer le premier lapin. Après, ç'a été un massacre. Les bestioles explosaient sans rien dire et les cages étaient remplies de sang. Je suis allé vomir dans les rosiers. Antoine a pris la carabine, il en a buté deux à son tour. Nicolas a fini le travail et on est retournés à la cave. On a bu du whisky au goulot pour se remettre, Nicolas chantait à tue-tête, moi je n'arrêtais pas de lui demander ce qu'allait dire son père. Il me montrait le fusil : « Il a pas intérêt à la ramener s'il veut pas finir comme ses lapins. »

Quand on a quitté la maison, Nicolas était prostré dans le gros fauteuil défoncé, son fusil sur les genoux. Juste avant de partir, Antoine lui a dit : « Pas de conneries, hein ? » et Nicolas a répondu : « T'inquiète. » Le lendemain il n'était pas au lycée. Ni le surlendemain. Ni plus jamais en fait. Moi j'avais toujours pensé qu'un de ces jours, il le dégommerait son vieux. C'est ce qu'il disait. Mais la vérité, c'est qu'il l'avait attendu, qu'il l'avait regardé bien droit dans les yeux, assis dans son gros fauteuil, la tête sous l'ampoule nue qui pendait du plafond, qu'il avait retourné son fusil, se l'était fourré dans la bouche et s'était fait exploser le cerveau.

Antoine n'a pas voulu qu'on aille à l'enterrement, il ne voulait pas croiser son père, il ne voulait pas entendre les conneries qu'on dirait sur Nicolas. Après ça, la bande s'est dissoute, c'en était fini des feux de forêt, des fêtes improvisées sur les berges de la Seine, des baises à géométrie variable dans les fourrés. Tout le monde restait chez soi, abruti, sonné, hagard. Nicolas était mort et Antoine disait toujours qu'au fond c'était le seul de nous tous à avoir eu un peu de courage et de lucidité. Cette année-là fut la plus triste, la plus noire des années avec mon frère. Ce fut aussi la dernière. Mon père nous hurlait dessus pour un rien. Maman ne cessait de tourner dans nos têtes, ses apparitions étaient plus fréquentes que jamais et nous nous enfoncions tous les deux dans un passé sans recours. Antoine était de plus en plus silencieux et j'avais peur. Il ressemblait de plus en plus à Nicolas, je lisais dans son visage la même détermination froide, la même détresse, le même égarement. Laetitia elle aussi s'inquiétait. Elle fixait ses yeux d'un air désolé. Elle disait qu'il buvait trop, passait trop de temps à essayer de se déchirer, qu'ils ne faisaient plus rien à part baiser et fumer et que ça devenait lourd et triste et morbide. Mon frère ne répondait rien, il allumait une cigarette, le regard rivé au plafond de l'appartement.

C'est à cette époque aussi que Lorette a cessé de manger. Personne à part moi ne se souciait de la voir fondre, de son visage creusé, de ses côtes saillantes, de ses jambes toujours plus maigres, son torse de verre que je n'avais plus la force de caresser, ses seins presque disparus. Je me demande encore comment elle tenait debout. Elle n'ingurgitait qu'un ou deux verres de jus de fruits par jour, et vomissait tout ce que je la poussais à manger. Je l'invitais dans des restaurants, je lui faisais la cuisine. J'y claquais tout l'argent que je gagnais le dimanche sur les marchés, à charger et décharger des caisses de légumes. Elle se forçait pour me faire plaisir. Mais à la fin du repas, invariablement, elle s'éclipsait aux toilettes, et revenait les yeux rougis. Se mêlait à son parfum Naf-Naf un vague relent de vomi. Je n'en ai jamais parlé à sa mère. Ni à qui que ce soit. Je me suis contenté de la traîner chez un médecin. Je croyais bien faire. Elle m'a suivi comme un automate, elle pesait moins que l'air au bout de ma main. Le cabinet était tapissé de beige et décoré de tableaux abstraits. Le médecin était un type étrange, aux allures de vieux beau, au débit saccadé et rapide, qui posait sur vous des yeux de fou et voulait toujours savoir, en dehors des symptômes habituels, « comment vous alliez, sinon ». Lorette n'a pas desserré les dents, elle était extrêmement faible et quasi transparente. J'avais depuis quelques jours l'impression qu'elle pouvait s'évanouir d'un moment à l'autre. Elle se plaignait de violentes migraines et séchait les cours pour se réfugier dans sa chambre, s'allonger comme une morte dans la pénombre des volets clos, le silence de l'appartement vide en plein après-midi. Je la rejoignais parfois, je dormais près d'elle. Je la serrais comme si ça pouvait la retenir, mais elle filait comme le sable entre mes doigts. Les parois n'étaient pas plus épaisses que du papier, mais à certaines heures de la journée plus aucun son ne nous parvenait, sinon celui de nos respirations. La sienne menaçait parfois de s'éteindre et je devais tendre l'oreille.

Trois jours plus tard elle séjournait à Brunoy, dans une petite clinique cernée d'arbres, aux murs de brique rouge, aux fenêtres décorées de vitraux jaunes orange et roses. J'ai tenté d'aller la voir quelques fois, traversant la forêt boueuse ou limpide, longeant des maisons bourgeoises aux jardins impeccables, gazon peigné et meubles en teck, parasols et tables de ping-pong d'un vert profond, VTT rutilants et voitures neuves garées sur le côté, épagneuls dans le soleil, aux pattes touchant à peine le gravier du chemin. Je laissais mon vélo contre la grille, je marchais vers l'accueil et la pelouse était jonchée de larges feuilles d'érable. Je scrutais les fenêtres, j'espérais deviner son ombre derrière l'une d'elles. Mais je ne l'ai jamais revue.

Elle n'a jamais accepté mes visites, n'a jamais daigné m'adresser la parole ou simplement se montrer. Je me disais qu'avec le temps elle finirait par s'assouplir, qu'elle irait mieux grâce aux soins qu'on lui apportait, au traitement dont j'ignorais tout, dont je n'imaginais sans doute pas la violence. Mais rien n'advint. Laetitia me donnait des nouvelles et s'inquiétait de ce que Lorette semblait se plaire infiniment dans cet établissement. Elle ne paraissait pas pressée d'en sortir et pour tout dire, ayant retrouvé progressivement un rapport plus normal à la nourriture, n'y était plus retenue que par une peur panique du dehors, qui la faisait trembler et hurler de terreur dès qu'on en évoquait la possibilité. Elle y est restée plus d'un an. Elle y était encore lorsque j'ai quitté la maison de mon père. Je lui écrivais des lettres, je lui décrivais la ville et la vie qui là-bas ne s'arrêtait jamais, le fleuve dans la nuit, la nuit déchirée de néons criards, les trottoirs foulés sans relâche, battus sans répit, les bars les jardins les lumières, tout ce qui grouillait, se goinfrait de bruit, de vitesse, de musique, de paroles et de vacarme. Elle n'a jamais répondu et mes lettres se sont espacées peu à peu. J'ignore ce qu'elle est devenue, si elle est en vie, si elle est sortie de sa clinique. Je l'imagine cloîtrée pour toujours dans sa chambre avec vue sur le parc gelé, l'herbe cuite par le givre, les arbres nus sur le bleu du ciel.

Je mesure aujourd'hui combien j'ignorais tout de Lorette. Qui était-elle au juste ? Qui ai-je embrassé toutes ces années ? Quel corps maigre, aux veines pâles sous la peau, ai-je caressé, cajolé, pénétré, découvert, retourné ? Je me souviens d'une enfant silencieuse et sauvage, à la voix rauque et voilée, aux yeux immuablement brillants, comme couverts d'une pellicule d'eau tremblante. D'une jeune fille qui dansait en faisant monter des volutes de ses mains. De ses bras autour de moi, de ma tête dans son épaule, de ses lèvres au goulot d'une bouteille quelconque, de ses pieds valsant entre le bois peint du banc vert et le sable en dessous. Je me souviens de son regard perdu à la fenêtre de sa chambre, de ses yeux dans l'horizon de ciment, de milliers d'humains agglomérés, de rubans de béton, de voies ferrées, l'horizon d'immeubles et de forêts au loin, de fenêtres allumées et derrière chacune d'entre elles, aussi impossible que ce soit à imaginer, de milliers de vies monotones et sans logique. Lorette au bord du lac, marchant sur la pointe des pieds, en équilibre sur le petit rebord, à deux doigts de l'eau, comme une funambule. Lorette au collège, s'époumonant dans sa flûte à bec, produisant d'insupportables stridences, braillant sur *La chasse aux papillons* de Brassens. Lorette en cours de dessin se couvrant les doigts de feutre, de peinture. Lorette au début de l'année, remplissant ses fiches de renseignements et indiquant en face de la mention père, en lettres majuscules, au feutre noir : MORT, alors qu'il ne l'était pas, qu'il était parti un jour, il y a longtemps, quelques mois après sa naissance à elle, trois ans après celle de Laetitia, parti, tout près ou au bout du monde, seul ou avec une autre, mais parti sans laisser d'adresse, de mot d'excuse ou d'explication, parti dans un silence inexplicable, sans raison apparente, sans que rien le laisse attendre ou supposer, parti et jamais revenu, et jamais non plus le son de sa voix au téléphone, son écriture sur le papier d'une lettre, le carton d'une carte postale. Lorette dans la forêt, sa peau orangée dans le reflet du feu, joint aux lèvres et pieds battant un tempo affolé, les cheveux givrés par les flocons épars, tourbillonnant dans le ciel tout à fait blanc, mouillant la terre et le tronc des arbres, crépitant tout doucement en mourant dans les flammes, Lorette mordant ma langue de ses dents mouillées, et dans sa bouche et dans la mienne le même goût du même sang. Lorette éclatant de rire, *son curieux rire de petite fille en pleurs*, dans le vacarme d'un McDo, dans le quartier des Halles ou le long de la nationale, hurlant debout sur le remblai du Pont-Neuf, en équilibre par-dessus la Seine, hurlant de rire au-dessus des péniches et des eaux sombres, hurlant de rire dans le gros fauteuil défoncé où Nicolas attendit son père, le fusil posé sur ses genoux, où le voyant apparaître il hésita un instant, et préféra offrir à ce vieux con la vision terrifiante de son propre fils bouffant le canon d'un fusil, de sa cervelle explosée aux quatre coins de la cave. Lorette tremblant de froid et ses larmes quand nous baisions, son corps long et laiteux, le noir profond des poils sous le ventre plat, puis creusé infiniment, ses cheveux en boucles sur ses seins menus, la sueur à son front, et l'été dans les draps roses de sa chambre, les rais de lumière dessinés sur le mur, filtrés par les stores de plastique noir. Lorette sous les grands arbres, assise à fumer sur les barrières, le long des bâtiments du lycée, dans ses écharpes, le casque du walkman sur les oreilles, Lorette au fond des cafés, Lorette pleurant pour un rien, une chanson triste, un mort au cinéma, trois lignes d'un livre, comme pleurant infiniment autre chose dont je n'ai jamais rien su. Lorette derrière moi, debout et accrochée à mes hanches, sur le vélo dans les rues bordées de tilleuls, longeant les jardins mal peignés aux chiens hargneux, collée contre moi à l'arrière de la mobylette, le long de grandes pelouses trouées de terre et couvertes de merdes, au milieu des tours ou le long du fleuve. Lorette et ses petites bouteilles qu'elle emportait partout avec elle, qu'elle planquait dans les poches de ses longs manteaux noirs, sa bouche et sa langue dans la mienne et sur ma queue au cinéma, ses mains sur mon ventre et ma poitrine dans la chaleur des RER, collés l'un à l'autre au fond d'un wagon, secoués sur les fauteuils en cuir marron lacérés, couverts de tags au marqueur noir. Lorette dans le bus, la tête contre la vitre, encore clouée dans le sommeil, soufflant sur ses cheveux pour les éloigner de son visage. Lorette nue dans les vestiaires de la piscine, me faisant signe d'approcher et ma langue dans son sexe frais et chloré. Lorette et ses yeux qu'elle fixait sur moi avec une expression de haine ou de dégoût d'elle-même, alors qu'un autre la prenait, contre un arbre dans la forêt sombre, à la tombée de la nuit, tandis que nous parvenaient de la musique des basses amorties, que planqué dans les fougères elle me voyait tout de même, et mon regard planté dans le sien et la main que je portais à mon sexe. Lorette et sa peau juste posée sur les os, son odeur de vomi au coin des lèvres et ses yeux creusés, ses pommettes qui me font mal quand je l'embrasse, et son corps tout entier qui semble vouloir se briser quand je la serre, comme on croit pouvoir réduire en miettes un oiseau que l'on tient entre ses mains. Lorette et sa sœur, l'une contre l'autre face à la mer et les pieds dans les sables, c'était au printemps et nous étions partis sans rien demander à personne, tous les quatre au petit matin, nous détournant du chemin du lycée pour attraper un RER, puis un train à la gare Montparnasse, débarquant dans le matin brumeux à Saint-Malo, buvant nos cafés et fumant nos cigarettes au Café de l'Ouest, sentant la mer à deux pas, visages et mains rongés par l'air marin, les yeux douloureux et les oreilles pleines du bruit des vagues et de cris d'oiseaux. Lorette blottie contre moi sur la plage immense, où les eaux montantes se croisaient, puis m'emplissant la bouche de sable, me faisant basculer et m'embrassant en faisant crisser nos dents. Lorette et sa sœur, main dans la main et presque identiques, maquillées de khôl sous les yeux, de rouge à lèvres sombre, et leurs cheveux teints. Ou bien se promenant dans les allées du supermarché en se tenant par les hanches, déposant tour à tour des baisers sur leurs lèvres, se faisant passer pour des amantes scandaleuses, laissant les petits vieux effarés, les bonnes femmes interloquées avec leurs caddies remplis jusqu'à la gueule, bourrés de lessive, de papier-toilette, de viande à congeler, de pâtes et de sucreries pour les enfants, de produits ménagers, de sucre, de beurre et de farine, de détergents, de chaussettes par lots de quatre paires et de mules en velours côtelé. Lorette et ses yeux dans les miens, sa bouche articulant en silence un « Je t'aime » que je ne l'ai jamais entendue prononcer à voix haute, et aussitôt après, à pleins poumons cette fois : « Je te déteste, qu'est-ce que tu crois petit con. Tu me baises et c'est tout, tu m'embrasses et c'est tout. » Lorette et sa voix basse quand au téléphone elle parlait à sa mère, qui lui ressemblait trait pour trait, une femme petite et mince aux cernes noirs sous les yeux, qu'on ne voyait jamais ou presque, et qu'elle affirmait détester, même si au bout du fil je surprenais dans sa bouche des mots tendres inhabituels. Lorette nous disait qu'elle travaillait dans un bar, Laetitia affirmait qu'elle tenait la caisse d'une station-service, leurs versions mal accordées nous amenant Antoine et moi à soupçonner un mensonge dont nous n'avons jamais su ce qu'il recouvrait. Qui étaient-elles au fond, ces deux sœurs siamoises et imprévisibles, capables de passer dans un même mouvement du rire le plus clair aux tourments les plus sombres ? Que savons-nous de ceux qui nous embrassent alors que nous sommes encore des enfants ? Rien. Nous les embrassons en retour et c'est tout, on les serre du plus fort que l'on peut et ils nous répondent en nous serrant plus fort encore.

Mon frère avait dix-neuf ans quand il a quitté la maison. Je l'ai imité plus d'un an plus tard, sans demander son avis à mon père, le laissant seul dans sa maison délabrée, au papier peint humide se détachant par lambeaux, au jardin mangé par les herbes hautes les coquelicots les orties, les champignons qu'on aurait cru poussant à l'ombre d'une centrale nucléaire.

Mon frère est parti une nuit sans un mot. Il est entré et je lisais dans le noir, à l'aide d'une lampe de poche que je cachais sous mon oreiller, et qui me permettait de veiller tard après l'extinction des feux, fixée à onze heures par mon père qui entendait *dormir en paix* et que même la lumière dans ma chambre, qui ne pouvait pourtant lui parvenir, dérangeait. Il était minuit et Antoine était habillé, son blouson de cuir ouvert sur son tee-shirt noir, un sac en bandoulière. J'ai baissé le son de mon walkman, ôté mes écouteurs. Il m'a fait un signe de la main, m'a juste dit : « Je m'en vais », et je voyais bien qu'il essayait de ne pas pleurer. Je me suis levé et je l'ai serré dans mes bras. Je l'ai supplié un long moment de me dire où il allait, s'il reviendrait, s'il penserait à moi, s'il m'écrirait, si un jour je pourrais le rejoindre. Très doucement il s'est dégagé de mon étreinte, m'a souri faiblement avant de disparaître dans l'escalier. Posté à ma fenêtre, je l'ai vu s'éloigner d'un pas tranquille. J'ai pensé qu'il prendrait le dernier train, dormirait dans les rues de Paris, ou bien sur un banc près de la gare de Lyon, avant de s'en aller pour toujours, Dieu savait où.

Durant trois mois je suis resté sans nouvelles. Parfois, le téléphone sonnait et mon père décrochait. J'entendais sa voix répéter « Allô », et prononcer le nom d'Antoine sans jamais obtenir de réponse. À plusieurs reprises, j'ai tenté de le doubler, de répondre avant lui. Je n'ai jamais réussi.

C'était en octobre et j'étais seul à la maison. J'ai entendu s'élever la voix de mon frère et ma tête a explosé de bonheur. Il m'appelait de Dakar, il bossait dans la marine marchande, son bateau y faisait une courte escale. On ne s'est presque rien dit. J'étais juste heureux de le savoir vivant, de pouvoir imaginer sa vie de pleine mer, de ports et de salles des machines. Six mois plus tard, il était de retour en France pour quelques jours. Il n'est pas venu à la maison. Il m'a donné rendez-vous à Paris. Au fond je ne connaissais pas vraiment cette ville, pas autrement qu'en touriste, qu'en lycéen faisant parfois une virée aux Champs ou dans le quartier des Halles. Mon frère m'a donné rendez-vous dans un café de la place des Abbesses. C'était hier et pourtant il faut se figurer combien ce quartier était alors différent, combien Paris, d'une manière générale, était alors une autre ville. Je l'ai attendu devant la porte, je n'ai pas osé entrer, persuadé qu'on me regarderait de travers, que me repérant on me jetterait dehors. Il est arrivé en courant presque, et son visage sec et bruni par le soleil contrastait avec la blancheur des Parisiens à la sortie de l'hiver. Antoine avait changé. Son visage avait en quelques mois pris des années, son corps s'était épaissi, une barbe drue mangeait son visage et ses yeux sortaient de leurs orbites. Les cheveux coupés ras, le bras droit entièrement tatoué, je n'étais plus sûr de l'avoir connu un jour.

Nous sommes entrés dans ce café et je lui faisais face. Le poste jouait des vieux morceaux des Doors, il a commandé un demi et voulait savoir comment j'allais. J'ai répondu vaguement. Je le fixais du regard. Il avait tellement changé. J'ai bu une gorgée. Autour de nous, c'étaient des grappes de lycéens, d'étudiants qui ne nous ressemblaient pas, et paraissaient appartenir à une autre espèce, une espèce protégée. Ils portaient des vestes de velours, des foulards et les cheveux mi-longs, les garçons comme les filles. Leurs manières étaient élégantes, ils fumaient avec affectation, riaient sans vulgarité, parlaient musique, cinéma, littérature. Mon frère et moi, perdus au milieu de tout cela, nous nous regardions, nous étions seuls au monde, isolés, définitivement ailleurs. Antoine a repris un demi, je lui ai posé des questions sur sa vie, mais il n'avait rien à en dire. Il travaillait sur un bateau, passait des semaines en mer, au milieu de nulle part, accostait dans des villes étrangères dont il ne voyait que le port, les quais où il fallait charger ou décharger les marchandises. Il y faisait quelques courses, parfois buvait un verre dans un bar, et déjà il fallait repartir. Le reste du temps il travaillait, dormait, et c'était tout. C'était une vie physique, abrutissante, saoulée de vent et de fatigue, de nuits blanches et d'autres de plomb, de cigarettes, de jeux de cartes, d'alcool et il n'y avait rien à ajouter. « Et toi, sinon, comment ça va ? » Il n'a pas posé de questions au sujet de notre père, et c'était mieux ainsi.

Au fond, mon frère et moi, nous ne nous étions jamais parlé. Nous n'avions jamais eu de *conversation*. Nous n'avions rien à nous raconter, rien à nous prouver, nous nous aimions d'un amour infini, c'est tout. La seule chose qu'il aurait fallu faire alors, c'est se prendre dans les bras mais nous n'avons pas osé. Avant de partir, il m'a juste dit, les yeux dans le vague et les dents serrées, que partout, où qu'il aille, la voix de mon père le hanterait, que partout elle surgirait et lui glacerait le sang, qu'il aurait beau parcourir des milliers de kilomètres, disparaître tout à fait, la voix glacée, excédée de notre père, ses yeux gelés, son visage dur et impénétrable, l'infinie menace de sa colère l'accompagneraient et l'étrangleraient, lui noueraient le ventre et lui donneraient envie de mourir sans savoir pourquoi.

Nous avons flâné un moment dans les rues, les lampadaires et les néons répandaient partout leur chaleur artificielle. Aux abords de la place Blanche, Antoine m'a désigné l'hôtel où il logeait pour la nuit. C'était un immeuble miteux, dont les murs partaient en lambeaux, rougis par le reflet des enseignes tout autour. Avant de se coucher, il irait traîner dans les bars, écouter de la musique, boire quelques verres, et il me confia dans un demi-sourire qu'il espérait ne pas rentrer seul. Je l'ai laissé là, je me suis retourné plusieurs fois, je m'engageais dans la rue Fontaine lorsque je l'ai vu entrer dans un des peep-shows pour touristes qui jouxtent le Moulin-Rouge. J'ai pris des rues en pente, des larmes m'aveuglaient, mon frère et moi nous étions manqués, et cela se reproduirait presque chaque fois.

Je ne sais plus à quand remonte notre dernière rencontre. Je vivais avec Claire, je venais de publier mon premier livre, ou bien j'étais sur le point de le faire. C'était à Marseille, il m'avait appelé deux mois plus tôt pour me prévenir, j'avais fait le voyage simplement pour le voir et ce fut la dernière fois. Depuis combien de temps suis-je sans nouvelles ? Cinq ans peut-être. Un peu moins, un peu plus, je ne sais plus. Mon frère a disparu en mer, en quelque sorte. Souvent, je prends la moto, je quitte les abords de Douarnenez et je roule jusqu'à Brest, je traîne des heures entières sur le port de marchandises, au milieu des grues des entrepôts immenses, des bars minuscules où l'on boit debout la cigarette coincée entre les dents, à contempler des engins manipulant d'énormes palettes, des containers virant dans les airs avant de se poser sur les quais. J'observe les types qui travaillent là, je scrute ceux qui restent sur le pont, j'erre aux abords des douches, des cantines, des supérettes où ils se ravitaillent en lames de rasoir, dentifrice, savon, déodorant, barres chocolatées, fioles d'alcool, journaux en tous genres, biscuits secs, cigarettes. Je cherche derrière leurs visages tannés, prématurément ridés, leur peau craquelée, leurs fronts rouges, le visage si doux de mon frère, je cherche dans leurs corps secs la frêle silhouette de mon frère enfui. Mais jamais mon cœur ne s'est mis à battre dans ma poitrine en croyant le voir. Jamais. Mon frère a disparu et au fond, d'année en année, de rencontre en rencontre, d'escale en escale, c'est ce qu'il semblait faire. Je le reconnaissais un peu moins chaque fois, ses gestes anciens s'effaçaient sous de nouveaux, ses sourires, ses attitudes, son visage sous d'autres sourires, d'autres attitudes, un autre visage. Mon frère changeait comme on s'efface, se recommence et, dans ce processus irréversible, bientôt je fus la dernière trace d'une vie passée, et qu'il voulait oublier.

Le téléphone a sonné et c'était le milieu de la nuit. Il a juste dit : « C'est moi. » Claire a grogné, s'est retournée plusieurs fois dans son sommeil et d'une voix pâteuse a murmuré : « Qui est-ce ? » J'ai quitté la chambre, le combiné collé à l'oreille. À son souffle, à son silence, je devinais sa gorge étranglée, et aussi qu'il avait bu. Je lui ai demandé où il était et comme toujours il a répondu : « À l'autre bout du monde, où veux-tu que je sois ? » Ça faisait dix mois que je ne l'avais pas vu. La dernière fois c'était à Brest, je l'avais rejoint et nous avions passé la nuit à boire dans le quartier de Recouvrance. Au matin, le bateau repartait pour l'Égypte, le Chili, New York, la Finlande.

Il m'appelait d'un bar en Australie. Là-bas les types buvaient la bière par litres, jamais moins. Cet après-midi-là, il avait loué un 4 × 4, s'était promené pour une fois, avait écrasé trois kangourous. Je lui manquais, c'est ce qu'il m'a dit alors, et aussi que j'étais son petit frère préféré et j'ai presque pu sentir sa main ébouriffer mes cheveux. Il m'a demandé des nouvelles. Je n'avais rien de précis à lui dire. Je voulais juste qu'il parle encore, entendre sa voix et m'endormir avec. Me dire qu'il était là tout près. Me dire qu'il était heureux et que sa vie lui allait. Il a continué et, très vite, c'est devenu un flot sans queue ni tête, il pleurait et bouffait la moitié de ses mots. Il parlait d'une fille et du mal qu'elle lui avait fait, de la fièvre qui l'avait mis à terre pendant deux semaines. De Laetitia qui lui manquait, de maman et de son visage de morte. Dans sa tête, il la voyait toujours ainsi et jamais autrement, le visage osseux et poudré, les paupières closes. De sa voix qu'il avait oubliée. La douceur de son cou quand gamin il l'embrassait là.

– Quand est-ce que tu reviens ?

– Dans deux mois. Je serai à Marseille.

– Dis, Antoine, papa, il a toujours été comme ça ?

– Qu'est-ce que tu racontes ?

– Il a toujours été comme ça ou ça a commencé à la mort de maman ? Je me souviens pas. Je me souviens pas de lui avant. Je sais plus comment il était avec nous, s'il avait l'air de nous aimer un peu ou quoi ?

Mon frère n'a pas répondu. Quand il a raccroché, j'ai pleuré comme un con dans le salon. Par la fenêtre, je voyais l'immeuble d'en face, les murs lézardés et, plus bas, les pavés noirs où mouraient des plantes malades.

Deux mois plus tard, j'ai pris un jour de congé et le train pour Marseille. Je l'ai attendu dans un café du Vieux Port et les types parlaient fort. Ça sentait la bière, le pastis, et sur l'écran géant s'agitaient des footballeurs. Il est arrivé avec son sac à l'épaule, sa cigarette entre les lèvres. Il m'a dit : « Viens on se tire de là » et on a erré au hasard dans les rues du Panier. Parfois sans prévenir l'horizon éblouissait, la mer s'étendait à nos pieds, chargée de cargos gris fer, entre les murs orange et pas ravalés. On a pris une chambre et l'hôtel donnait sur les calanques. Il y avait du bruit tout autour, des gens qui gueulaient dans les rues et sur la plage, de la musique arabe ou africaine. Les fenêtres étaient grandes ouvertes. Au plafond tournaient mollement les pales d'un ventilateur. Allongés côte à côte sur le drap mauve, l'air nous caressait la peau. On se taisait pour écouter la mer. Ailleurs elle ne sonnait pas pareil, disait-il. À chaque endroit où il s'arrêtait, la mer sonnait différemment. Je ne sais plus de quoi on a parlé. Je sais juste qu'on avait chaud et que je sentais la sueur de son bras sur le mien, que nos peaux se collaient par endroits et que j'aurais voulu que ça ne s'arrête jamais. À l'aube, on a marché vers les plages et il s'est baigné nu tandis que le jour se levait. Il m'a montré ses nouveaux tatouages dans le dos et sur la poitrine, je lui ai dit que je les aimais. Il avait aux lèvres son petit sourire, celui que j'adorais depuis toujours, celui qu'il prenait quand il savait qu'il m'impressionnait. Soudain sur l'eau calme, une seconde à peine, ma mère s'est mise à flotter avant de se diluer.

Après ça je ne l'ai plus jamais revu, il n'a plus donné de nouvelles. J'ignore s'il mène encore cette vie-là, s'il a fini par s'arrêter quelque part, ou bien s'il est mort.

Après le départ d'Antoine, je suis resté quelques mois seul avec mon père. Durant cette période, il travaillait moins, passait le plus clair de son temps dans la maison, ne sortait plus guère, même dans le jardin qu'il avait fini par laisser à l'abandon. Il tuait ses journées devant la télévision, ou à lirc dc long en large des magazines automobiles. Nous prenions nos repas séparément et je restais le moins possible à la maison, ou bien je m'enfermais dans ma chambre. Nous ne faisions que nous croiser et je vivais dans l'angoisse absurde qu'un jour il entre dans ma chambre, armé d'une batte de base-ball ou d'un morceau de bois, et que sans un mot il se mette à me battre, jusqu'à ce que je perde connaissance.

L'année de mes dix-sept ans, j'ai quitté la maison sans un mot. Après mon départ, comme mon frère, je n'ai plus donné de nouvelles à mon père, et je ne crois pas qu'il ait jamais cherché à en prendre. Je ne l'ai revu qu'un an plus tard, et ce fut notre dernière rencontre. C'était l'été, et je gagnais ma vie comme veilleur de nuit dans le quartier de Strasbourg-Saint-

Denis. L'hôtel abritait des immigrés qui pour la plupart travaillaient le soir et dormaient le jour. Tandis qu'ils s'absentaient, nous louions leurs chambres aux prostituées albanaises, africaines ou chinoises qui circulaient boulevard de Strasbourg. J'ignore pourquoi, j'étais hanté par l'idée de voir un jour mon père se présenter au bras de l'une d'elles, de devoir lui faire face, le saluer et encaisser les cent cinquante francs qu'il me tendrait en faisant mine de ne pas me reconnaître ou de m'avoir effacé de sa mémoire. Mais ce n'est jamais arrivé. Je l'ai juste croisé un soir, en me rendant au travail, dans un bar proche où j'avais mes habitudes. Il buvait une bière, son visage était maigre et tendu vers un téléviseur où couraient des chevaux. Il portait une casquette, un pantalon trop large et il m'a paru effroyablement fragile et vieilli. En le voyant ainsi, minuscule, insignifiant, je me suis demandé un instant comment nous avions pu mon frère et moi avoir si peur de lui. J'ai commandé un café, les pieds au milieu des papiers de sucre, des mégots et des tickets de jeu. Dans la lumière glauque, les courses se succédaient et des types remplissaient des grilles sur le formica des tables jaunes. De temps en temps, ils levaient les yeux, portaient leur verre à leurs lèvres, et regardaient les chevaux courir en rond. Certains sautaient des obstacles, d'autres n'y parvenaient pas et s'étalaient de tout leur long sur la piste boueuse, écrasant au passage leur jockey haut comme trois pommes. Le patron m'a salué d'un signe de tête, et en essuyant ses mains sur son tablier noir, m'a lancé son habituel : « Alors monsieur Olivier, comment on va ce soir ? » Mon père ne s'est pas retourné à mon prénom, mais sans doute était-ce normal après tout, des tas de types portent mon prénom, même si moi, bien sûr, je sursaute chaque fois que j'entends prononcer celui de ma mère ou de Chloé, d'Antoine ou de Lorette, même au cinéma, même à la télévision. Je me suis approché de lui, j'ai posé la main sur son épaule, c'était la première fois que je le touchais ainsi. Il s'est retourné et son visage n'a pas pris la moindre expression. « Ça va ? Qu'est-ce que tu deviens ? » C'est tout ce qu'il a dit. Puis, sans attendre de réponse, il s'est remis à fixer le téléviseur. J'ai réglé mon café et je suis sorti. Je me souviens qu'il pleuvait et qu'il faisait si sombre que la nuit semblait déjà là. Pourtant elle ne tomberait que deux heures plus tard.

Je ne sais rien de mon père. Durant les trois ans qui précèdent la mort de ma mère, il est absent de mes souvenirs. Et le reste n'est que nuit noire. J'ignore tout de lui, mais je ne peux m'empêcher de rêver qu'alors il était un autre, qu'il nous adressait la parole, nous embrassait, nous souriait, qu'il prenait de son temps pour jouer avec nous, se promener à vélo, nous emmener aux entraînements de foot ou simplement contrôler nos devoirs. Je rêve de cela mais je ne me souviens de rien. Il n'a jamais rien dit de lui, ne m'a jamais rien confié de son enfance, des circonstances dans lesquelles il avait rencontré ma mère, des métiers qu'il avait exercés avant de se lancer comme artisan taxi, comment il avait financé sa plaque, à quel âge il avait commencé, s'il avait fait des études avant ça, s'il avait travaillé jeune ou non. Je ne sais rien, sinon qu'il a vécu avec ses frères et sœurs dans un F3 à Clamart, qu'il était l'un des plus jeunes, et que son père ne supportait pas qu'on parle pendant les repas. Je n'ai que très peu de photos de lui. Une au service militaire, la cigarette au bec et la joue contre son famas, une autre en classe à dix ans, raie impeccable sur la gauche, chemise à carreaux repassée dépassant à peine de la blouse, sourire crispé de circonstance et c'est à peu près tout. Après viennent les clichés où figure ma mère et c'est avant la naissance d'Antoine. La couleur des cheveux de maman ne cesse d'y changer, ainsi que ses robes. Quant à mon père, il n'apparaît que rarement, le plus souvent posant ostensiblement, un mince sourire aux lèvres, faisant parfois l'imbécile, dans une attitude de décontraction inspirant la sympathie. Sur plusieurs d'entre elles, il tient ma mère par la taille, ils se promènent, ou bien il l'embrasse, ou encore ils rient aux éclats tous les deux, lui seulement vêtu d'un short et elle en maillot de bain, un foulard dans les cheveux au volant d'une DS ou allongée dans un transat, sur la terrasse d'une maison de vacances dans le Lot ou les Pyrénées. Ces photos sont des preuves. Je n'ai rien d'autre à quoi me fier. Ces photos sont les seuls témoignages de la possible tendresse de mon père, de sa chaleur, de son amour, de son humanité même.

III

À CIEL OUVERT

J'ai quitté la chambre, laissé Claire et Chloé à leur sommeil d'anges. La nuit s'épuise peu à peu. La promenade est déserte, un vent glacé la givre. Je croise des ombres, des corps battus par le vent, des visages invisibles. Je longe des hôtels aux fenêtres noires, des bars aux tables rangées. J'entends résonner des pleurs d'enfant et mon cœur se tord.

Au bout de la bande de ciment, un escalier s'enfonce dans la nuit et à chaque pas j'y vois un peu moins. Sur la droite, retirée à plusieurs mètres des falaises, laissant à nu du sable sombre et des cailloux gris, la mer bat comme un muscle, remplit l'air et semble le monde entier. Je marche sur les pas de ma mère, comme elle dans le noir profond, mes poumons s'emplissent de vent et du parfum cru de l'eau. Je suis ses traces et ma mémoire est comme le ciel où filent les nuages anthracite, mon enfance enfoncée sous combien de kilos de sable ?

Je marche sur les pas de ma mère, je vais vers sa mort, plusieurs fois je tombe et mes genoux sont couverts de terre meuble, dans la paume de mes mains s'infiltre la boue, crissent des cailloux. Bientôt j'atteins le sommet des falaises, elles s'échancrent et se brisent sur des kilomètres. Je ne vois rien et le vent me colle en arrière, me saoule et me brûle les yeux. Je m'avance jusqu'au bord extrême, je pourrais fermer les yeux et tenter de deviner où s'arrête la terre, faire ce pas de plus qui me clouerait au sable, démembré, déchiqueté, fracassé des dizaines de mètres en contrebas.

Je suis les pas de ma mère, j'entends sa voix, devant mes yeux elle est là, vivante et légère, son visage creusé sous ses cheveux longs. Et soudain elle disparaît. Quelques oiseaux passent, et je jurerais que leurs ailes me frôlent, ils crient et je leur réponds. Je sais pourtant qu'il y en a peu, mais ils sont des milliers autour de moi, ils m'accompagnent en un strident cortège. Goélands marins, bruns et cendrés, argentés ou railleurs, mouettes rieuses ou de Bonaparte, pluviers, sternes de Dougall, caspiennes, voyageuses ou bridées, hérons, guifettes, mergules et macareux, guillemots de Troïl, fous de Bassan, cormorans, océanites tempête, puffins pétrels, fulmars, huîtriers pie tournent sans fin le long des falaises dont j'ignore les contours, où elles commencent et où elles finissent.

Tout siffle autour de moi, je me confonds avec le vent, le fracas de la mer, le tournoiement des oiseaux, je suis un corps vide et fondu dans la nuit. Je trébuche et ma joue frotte la lande sèche, durcie par le froid. Je sens sur mon front couler du sang chaud. Les goélands viennent me bouffer les yeux je crois, la nuit tourne sur elle-même, et la lune et les étoiles. Je pousse un hurlement comme on se purge de tout, mais ma voix me parvient à peine, perdue dans la bourrasque et le vacarme que fait la Manche. Je suis une nuit noire, une bordure de falaise, une vie noyée, avec vue sur le vide et sans vertige.

Nous avons quitté Paris comme on sauve sa peau. Nous avons mis fin à ma vie de somnambule, mes heures de mort vivant, rognées par l'alcool, prostrées et débiles. La maison est à deux pas des falaises et d'une plage comme un croissant. La presqu'île s'enfonce loin dans la mer, la lande prend mille couleurs, mangée par les mûriers, la mousse et la bruyère, Crozon sent la fougère, la roche humide et la réglisse. Les premiers temps, Claire se moquait de mon goût pour les oiseaux, je pouvais passer des heures entières à les contempler, suivre des yeux leurs trajectoires bizarres, leurs virées soudaines et leurs courbes lumineuses. Claire partait le matin et je buvais mon café sur le port, dans la lumière lavée, le ciel changeant. Des chalutiers revenaient des pleines mers, disposaient sur les quais des caisses luisantes de poissons argentés, des filets qu'on mettait à sécher. Puis je longeais à moto des kilomètres de pointes et de calanques, je m'arrêtais plonger mes mains dans le sable, tout près du centre ornithologique. Sur la route, les éoliennes tournaient lentement et la roche était grise et verte. Quelques villages austères se perchaient en lisière, aux murs de pierres épaisses et sombres, aux habitants taillés par le vent. Je passais des heures aux abords du centre, à observer les enclos où l'on soignait des cormorans blessés, à surveiller l'activité secrète de ces types qui vouaient leur vie au comptage des oiseaux, au recensement des espèces.

Cette vie ne m'a guéri de rien, elle était juste possible, quand aucune autre ne l'était, et surtout pas celle que je venais de quitter. C'était une vie de silence et de vide, d'absence et de présence aiguë aux choses, aux variations de la lumière, au mouvement immobile des eaux, aux parfums, à la texture de l'air. C'était une vie où enfin je trouvais une place, en retrait de toutes choses mais tranquille, un corps que l'on emplit d'air et d'embruns, un cerveau qu'occupent tout entier le bruit de la mer et du vent, la fréquentation des oiseaux. J'écrivais parfois. Claire dans le soir humide me couvrait de baisers et nous buvions tard dans la nuit, tandis que tout craquait dans la maison, que derrière nos volets clos valsaient les arbres et se fissurait le monde. Puis l'été est venu et j'ai trouvé sur une plage une place de serveur dans une paillote éphémère au toit couvert de bambous. Des enfants venaient se couvrir de sucre glace, des vieux sirotaient des Perrier, des thés citron, les plus jeunes prenaient des bières, engloutissaient des paninis ou des gaufres avant de retourner à l'eau, à demi nus ou vêtus de combinaisons noires. Tout le jour, je faisais face à la mer, je l'observais monter et descendre, et le soleil se refléter dans le sable humide et troué de bassins minuscules où barbotaient de très petits enfants. Nous étions deux à travailler ainsi et, à tour de rôle, l'un de nous restait la nuit à dormir là. Je fermais la bicoque et j'installais sur le sol un matelas de fortune. Une batte de base-ball à portée de main, une bombe lacrymo dans la poche de ma veste, emmitouflé sous trois couvertures, j'entendais monter les eaux et j'avais parfois l'impression qu'elles étaient si proches qu'elles ne tarderaient pas à inonder les lieux et à m'engloutir. Je sortais de temps à autre et les bateaux se balançaient sous la lune, les rochers alignés étaient des îles minuscules où dormaient les goélands. Je me dépouillais de mes vêtements, je les semais sur le sable trempé, les nuits étaient parfois très douces et la mer absolument calme me léchait les chevilles, puis les cuisses et le corps tout entier, je marchais les pieds bien à plat et m'enfonçais sans hâte, jusqu'à ce que mes narines effleurent la surface. Le corps gelé je ne sentais plus rien, mon cerveau était tout à fait liquide et la lune peignait sur le noir des traits brillants et troubles. Claire parfois me rejoignait et nous dormions l'un contre l'autre, dans le noir absolu du bois partout autour, la rumeur assourdie mais qui tout de même enveloppait tout, nous berçait, nous contenait.

Les années ont filé ainsi, je passais l'automne et l'hiver à sillonner les côtes, à me saouler de vent, à me perdre sur les sentiers, à mâchonner des herbes et à dormir dans les rochers, à boire du whisky tandis que l'air me rabotait la peau, à écrire des livres qui paraîtraient six mois plus tard. Puis la saison débutait et je retrouvais mon abri sur la plage, mes nuits étoilées, mes tours de garde où rien jamais n'advenait. Parfois des types montaient sur le toit, des couples forçaient les cabines et s'y abritaient pour baiser, des adolescents débarquaient dans le soir, restaient jusqu'à la fermeture, puis s'éloignaient sur le sable, jonglaient avec des torches enflammées, saturaient la nuit du bruit des djembés, fumaient des joints autour d'un feu, se tripotaient sous d'épaisses couvertures de laine, s'embrassaient à pleine bouche et se baignaient nus. Une fois seulement j'ai dû user de ma batte, une fois seulement j'ai vu les planches de bois se soulever dans le bruit sec des pieds-de-biche qu'on enfonce et des verrous qui sautent. Avant mon embauche, quelques tentatives de vol avaient eu lieu, envoyant au passage mon prédécesseur à l'hôpital, le nez fracturé après s'être battu pour sauver des sandwichs, des boissons, des frites congelées, des machines à café et des moules à gaufres. Les types sont entrés par les fenêtres et debout dans le noir je les attendais. Je n'ai eu à frapper qu'une fois, au hasard. Ma batte a percuté un visage ou autre chose, des os ont craqué, un hurlement s'est élevé et ils ont déguerpi. J'ai passé la nuit à réparer les dégâts.

J'aime cette vie d'étés familiaux, de plages bondées, de gestes mécaniques et de sourires. J'aime que tout le monde paraisse heureux et détendu, que des directeurs financiers et des petits chefs hargneux se retrouvent à poil en train de jouer au ballon ou de construire des châteaux que la marée ou les gamins détruiront en un clin d'œil. J'aime au matin voir des familles courbées vers le sable, à traquer les mollusques, les petits équipés d'épuisettes et de bottes. J'aime le soir, dans la lumière dorée puis la nuit montante, voir de jeunes couples ou de plus vieux se tenir la main et marcher sur le sable lisse et brillant, fumer des cigarettes les yeux au ciel, flâner et avoir des gestes, des élégances, des sourires qu'ils n'ont nulle part ailleurs. J'aime les soirs de feux d'artifice, la plage surpeuplée et les gamins avec leurs lanternes, les pétards et la foule qui se presse pour être servie. J'aime les matins pâles et la plage abandonnée aux oiseaux, et ce type payé par l'office de tourisme qui vient jouer de la cornemuse les pieds plantés dans la mer. Je lui sers jusqu'à midi des verres de blanc qu'il boit en commentant l'actualité.

J'ai aimé cet été, et c'était le troisième, quelques mois avant que Claire soit enceinte. Ils étaient une dizaine, des cousins plus ou moins proches, et débarquaient à la tombée du jour. Ils avaient entre douze et seize ans, prenaient des cafés et des bières que je leur servais avec un clin d'œil complice, et s'installaient tout près du club Mickey, signalé le soir par quatre barrières de bois clair et des toboggans que prenaient d'assaut les enfants au retour des promenades. Elle se tenait en retrait, portait toujours des pulls noirs où elle cachait son menton, et trop épais pour la saison. Elle avait quinze ou seize ans, des cheveux de jais très raides. C'était une fille étrange et revêche, opaque et sauvage. Elle me jetait des regards noirs et intenses, son petit visage extrêmement sérieux et magnétique. Ses yeux très maquillés, ses lèvres minces, elle les approchait juste avant que je ferme. Je lui offrais quelques verres et elle soupirait en regardant les autres, qui l'ennuyaient terriblement. Elle était là pour un mois, chez sa grand-mère qu'elle fuyait le soir. La vieille s'endormait avec les poules et, de jour en jour, j'avais appris à discerner, parmi les corps prenant le soleil, le sien et celui de son aïeule, toujours au même endroit. La vieille remplissait des grilles de mots croisés entre deux baignades, la plus jeune ne quittait jamais ses lunettes de soleil ni son tee-shirt. Peu à peu, elle prit l'habitude de passer du temps avec moi, de partager mon abri. Elle en aimait l'atmosphère de naufrage et me parlait à l'oreille. Son père était mort et c'était il y avait quelques mois à peine, un accident stupide mais qu'est-ce que ça changeait, il était mort et, d'une certaine façon, quelque chose dans mon visage ou dans mes yeux la faisait penser à lui. Je l'écoutais et ressembler à un mort ne voulait rien dire. Elle me chuchotait ses jours ordinaires, l'absence et l'enlisement, son indifférence aux autres, l'impression tenace qu'entre le monde et elle se dressait une vitre épaisse, une paroi de coton translucide, un rideau de pluie. Elle me racontait cela, les heures dans les cafés et les cours interminables, le soleil sur sa peau et la musique qui la faisait sortir d'elle-même, les manières qu'avait son père d'apparaître et de lui sourire avant de s'enfuir sans laisser la moindre trace. Treize ans nous séparaient mais nous étions tellement pareils elle et moi. Je ne le lui disais pas. Je me contentais d'abriter son cortège de confidences et le vieil arsenal de ses douleurs banales. Je me demande parfois pourquoi elle m'avait en quelque sorte choisi, ce qui dans mon attitude, mes gestes ou mon visage me trahissait, si tout cela participait d'une sorte de reconnaissance instinctive qui fait que parfois ceux qui se ressemblent s'assemblent, et parmi eux, plus que les autres peut-être, les plus fragiles et les moins armés pour affronter les vents froids. Un jour elle m'a avoué que c'était pratique avec moi, que j'étais une tombe où enfouir ses secrets, que j'étais si peu présent, si peu concret et existant qu'on pouvait me remplir à l'envi, et faire de moi ce qu'on voulait. Dans la lumière hésitante d'une lampe de poche, elle ôtait son pull et ses seins pointaient dans la nuit. Nous faisions l'amour au plus fort du bruit des vagues, je fermais les yeux et je croyais retrouver Lorette au bout de mes lèvres, son corps menu et osseux, ses hanches étroites et ses seins minuscules. Elle me fixait et serrait les dents, j'avais parfois l'impression de lui faire mal. Puis elle s'endormait contre moi, et elle tenait dans ma main, pas plus grande qu'une enfant tout à coup. Cela a duré une vingtaine de jours et elle est repartie. Elle se moquait parfois de moi, me traitait en riant de pervers, voulait savoir si ma femme était au courant que je couchais avec des mineures... Je ne répondais rien, je me contentais de hausser les épaules, moi-même j'ignorais mon âge, ma vie était si petite et j'avais si peu vécu, je n'étais qu'un enfant, j'avais onze ans et ma mère était morte, le monde était glacial et je grelottais, j'avais besoin qu'on m'enlace et qu'on me rassure, qu'on me berce et qu'on me réchauffe un peu. Exactement comme elle.

Mes pieds butent sur des cailloux, ou s'enfoncent dans la mousse spongieuse et froide. Le monde n'est plus qu'un amas de bruits sifflants et secs, de couches de noir et de gris, de déplacements d'air et mon écorce ne couvre rien, ne contient rien. Je pourrais mourir aussi bien. Comme ma mère je pourrais mourir et mes yeux s'emplissent de larmes, et comme elle je m'avance vers le vide, et sous mes paupières et dans ma tête flotte le visage de Chloé et je me demande si elle aussi, tandis qu'elle mourait ou s'apprêtait à le faire, voyait, sur l'écran noir de la mer et du ciel fondu, apparaître nos visages, le mien et celui d'Antoine. Je me laisse tomber, l'herbe trempée m'accueille et me fait un lit froid. Je ne pourrai mourir aussi bien qu'elle, je le sais. Jamais. Chloé est née et je sais désormais que je ne pourrai jamais mourir. Et je préfère ne pas comprendre que moi aussi j'étais né et que cela n'a rien empêché.

C’était l’été quand j’ai débarqué gare du Nord, avec mon sac en bandoulière et quelques économies. Je me rappelle avoir marché au hasard dans des rues étouffantes et bondées, bousculé par des milliers de corps en sueur, longeant des étals où s’entassaient des monceaux de viande, des tonnes de légumes et de fruits lointains dégorgeant leur sirop. Je me souviens de cafés sales où des types jouaient aux dames, des boutiques remplies de n’importe quoi, des centres d’appels téléphoniques où l’on parlait toutes les langues, et où des Asiatiques et des Africains attendaient leur tour, assis devant des rangées de cabines ouvertes, où on les relierait au Soudan, au Sénégal, à la Thaïlande, à l’Iran ou au Maroc. Dans des rues parallèles se nichaient des hôtels aux façades décrépies, aux peintures noircies. Des types glandaient devant, des blacks pour la plupart, guettaient on se demandait quoi, gueulaient dans leur portable ou s’apostrophaient d’un trottoir à l’autre en hurlant de rire. C’était Paris mais cela n’y ressemblait pas, du moins c'est ce que je me disais alors, avant de comprendre que Paris ne se ressemblait pas, et que ce n'était qu'ainsi qu'on pouvait l'aimer, avant encore de m'apercevoir que désormais Paris ne ressemblait plus à rien. Une ville musée, une ville de bureaux, une ville de boutiques de luxe et de décoration, de restaurants inabordables, de *fooding*, de *shopping*, de *clubbing*, de couples argentés, investis et épargnants, propriétaires et pourvus d'une vie professionnelle. J'ai pris une chambre dans un hôtel. Les murs partaient en lambeaux, le papier peint se détachait par pans entiers, ou bien l'humidité le rongeait et le trouait. Les peintures se décollaient, découvrant des murs de ciment lépreux. Des familles entières vivaient là, dormaient, regardaient la télé, bouffaient à six dans des pièces exiguës. Toutes les portes étaient ouvertes et l'on se parlait d'une chambre à l'autre, les musiques à plein volume se mélangeaient et se couvraient en un brouhaha étrange, les gamins couraient dans les couloirs, montaient et descendaient les escaliers juste vêtus d'une culotte ou d'un short de football. J'ai posé mon sac et des cafards se sont planqués sous le lit défoncé. La chambre était équipée d'un mauvais matelas, d'une armoire, et d'un miroir au-dessus du lavabo de faïence ébréché. Quelques jours plus tard, j'allais veiller à la réception d'un hôtel en tout point comparable.

Je suis resté là une dizaine de jours, le temps de trouver un travail, d'ouvrir un compte, de louer une chambre. Je ne sortais pas beaucoup, la chaleur était suffocante et presque nu je trempais mes draps de sueur. Je somnolais jusqu'au soir où ne tombait qu'une médiocre fraîcheur, j'écumais le quartier et les bars, je rentrais tard et la nuit l'hôtel était moins calme que jamais. La musique jouait fort et tout le monde criait, riait, s'engueulait. Toutes les trois minutes, on frappait à ma porte pour m'inviter à boire un coup, j'avais du mal à résister et, assez vite, me retrouvais au milieu d'une pièce minuscule où des grosses bonnes femmes faisaient mijoter de la viande sur des réchauds portatifs. Des jeunes filles aux jeans incroyablement moulants parlaient sans cesse avec des voix aiguës, et leurs cheveux étaient prolongés de tresses multicolores. On sifflait du punch, du whisky à même le goulot, des bières le nez à la fenêtre, les enfants finissaient par s'endormir dans un coin, sur un matelas, un blouson roulé en boule ou à même le sol. Les joints tournaient à toute vitesse, les types faisaient claquer leur langue et certains se lançaient parfois dans d'extravagants discours en anglais, où il était question d'amour, de fraternité, du Seigneur, de l'Afrique et de la France. À chaque phrase, les autres acquiesçaient, frappaient dans leurs mains ou gueulaient *amen*. Le quatrième soir, une fille ne m'a pas quitté des yeux, elle dansait et je voyais bien que c'était pour moi, son cul haut perché se balançait sous mon nez, elle m'a tendu les mains et j'ai fait comme j'ai pu, il n'y avait pas grand-chose à faire, elle était grande et parfumée, sa peau était sombre et luisante, elle frottait ses fesses contre mon sexe et elle riait quand elle s'apercevait de mon érection. Nous sommes sortis de la pièce, elle se tournait vers moi dans le couloir aux ampoules grésillantes, me lançait des œillades de louve ou de biche, des clins d'œil, des gestes obscènes. Dans ma chambre elle s'est déshabillée sans cesser de danser. Puis elle s'est approchée de moi, a touché mon visage du bout de ses doigts en disant : « Toi tu as de beaux yeux, toi tu as de belles lèvres. » Elle a ôté mon tee-shirt et ses baisers étaient très tendres ou bien elle me mordait. Elle a pris mon sexe dans sa bouche et nous avons baisé debout, mon ventre touchait parfois son dos, mes mains s'accrochaient à ses seins, ses mains posées bien à plat sur le mur. Puis nous avons dormi et je crois que, toutes ces heures, elle n'a pas lâché ma queue, elle la tenait dans ses mains comme un oiseau, parfois la pressait un peu et me réveillait. À peine je touchais son cul je bandais, et alors c'était une valse moite et sa voix était rauque, on aurait juré qu'en jouissant elle chantait. Le jour s'est levé et j'avais rendez-vous près des Halles, un café cherchait un serveur, un des Africains de l'hôtel m'en avait parlé la veille, il avait tenté sa chance mais bien sûr ça n'avait pas marché. Le patron m'a reçu, il était tôt et nous avons bu un verre de blanc chacun, puis un autre pour la route, et encore un troisième pour fêter mon embauche. Je suis rentré sous une pluie d'orage, trempé jusqu'aux os et l'air était toujours aussi pesant et humide. L'hôtel était bizarrement silencieux. Toutes les portes étaient ouvertes et les chambres vides ou bien dévastées, matelas crevés dégueulant sur le sol une mousse jaune orangé, vêtements entassés au hasard, bouteilles brisées et taches de sang. La mienne avait été fouillée, l'entier contenu de mon sac répandu sur le carrelage, draps défaits et matelas retourné. J'ai senti une présence dans mon dos, je me suis retourné et c'était le type de la réception, un gars blafard et malingre dont la chemise s'ouvrait sur une invraisemblable collection de cicatrices, et qui planquait un flingue dans son tiroir. Il me l'avait montré un soir, c'était un engin lourd et rutilant, et longtemps j'ai gardé en tête qu'il était là, si d'aventure un jour j'en avais besoin.

– Les flics sont venus. Ils ont embarqué tout le monde. Y en pas un qu'était en règle. On va les renvoyer chez eux par charter.

– C'est dégueulasse, j'ai dit. Ces types sont des porcs.

– Ça n'a rien de dégueulasse, mon petit, c'est la loi, et eux, ils se contentent de l'appliquer. Pour le reste, croyez-moi, ils veulent juste gagner leur vie et qu'on les laisse en paix le week-end à la maison avec leur femme et leurs gosses. Comme vous et moi. De toute façon, ces gens n'avaient pas le droit d'être ici.

– Mais ils avaient le droit de vous filer leur pognon, non ?

– Qu'est-ce que vous croyez ? Si c'était pas moi, ce serait quelqu'un d'autre. Et puis, ceux-là, il était temps qu'ils se cassent, ça fait dix jours que j'ai pas vu un billet.

Je l'ai prié de me laisser seul et il est parti en soupirant. Je n'ai pas voulu réfléchir à tout ça, l'imaginer elle aux mains des flics, le centre de rétention, les charters et les menottes, je n'ai pas voulu penser à la terreur, aux enfants, aux coups de matraque aux bras tordus, aux cris des bébés. Le lendemain, toutes les chambres étaient occupées, c'étaient des Africains, ni plus ni moins réguliers que les précédents, mais la plupart avaient de quoi payer quelques nuits au moins.

Après ça, j'ai emménagé dans une chambre sous les toits, près du quartier des Ternes. Je réglais en liquide un loyer dérisoire, à un grand type à particule, qui logeait trois étages plus bas et ressemblait à Valéry Giscard d'Estaing. Il me regardait en biais et se tenait chaque mois dans l'encadrement de la porte de service. Derrière, j'imaginais une enfilade de salons vastes et tapissés de sombre, encombrés de larges fauteuils recouverts de velours vert bouteille ou bordeaux, aux murs épinglés de scènes de chasse, d'imitations de tableaux flamands, d'originaux de petits maîtres. On accédait à la chambre par un escalier étroit et sale, incongru dans un immeuble de ce genre. Les toilettes étaient sur le palier et la pièce minuscule, équipée d'une commode, d'un lit et d'une table qui me servait de bureau et où j'avais posé un réchaud à gaz. La fenêtre, percée dans la soupente où je me cognais la tête quand je me réveillais en sursaut d'un de ces rêves où maman m'apparaissait et me faisait signe de la rejoindre (alors je m'avançais vers elle et, à mesure que je m'approchais, elle s'éloignait et son visage se brouillait jusqu'à ce que ses traits s'effacent), donnait sur la cathédrale Alexandre-Nevski. Je passais des heures le front contre la vitre à contempler son christ doré et les arbres nus qui la cernent en hiver, les enterrements trois fois par semaine. Les premiers temps, je suspendais au-dehors une cage à oiseau où je laissais fraîchir le beurre, les yaourts, et la viande quand il me prenait d'en acheter, rarement en fait. Je ne me nourrissais que de pâtes, de riz, de semoule, de fruits et de vin bon marché, que je buvais en quantités astronomiques et qui me coupait suffisamment la faim pour me permettre de sauter la plupart des repas. Je me souviens de la moquette rêche et grise et des taches qui la maculaient, comme des îles au milieu de la mer, cartographie imaginaire dont je pourrais je crois retrouver le dessin. Des rubans de poussière qui les matins de plein soleil venaient s'y écraser. Du lit creusé et de ses pieds cassés, que j'avais remplacés par des briques rouges trouvées dans la rue. Des murs qui tanguaient et de l'étrange cage de douche en plastique, tout près du lavabo lézardé, et plus haut la fenêtre usée, donnant sur le mur et le puits de lumière. Le couloir distribuait cinq chambres du même type, l'un des locataires n'y avait pas l'eau courante et venait puiser au robinet près des toilettes, remplir des bassines et faire sa lessive, sa toilette tôt le matin ou en plein après-midi, quand il pensait être seul à l'étage. C'était un type d'une cinquantaine d'années, un Serbe au visage anguleux où hésitait une maigre barbe grise. Il occupait la chambre du fond et assurait pour la communauté orthodoxe du quartier de menus travaux d'électricité, de plomberie, de peinture et de jardinage. Je le croisais parfois dans la rue, passant le balai sur le parvis de la cathédrale, repeignant la devanture du restaurant décoré de poupées, de nappes rouges et noires, où des chanteuses blondes aux joues maquillées chantaient le soir, accompagnées de violonistes aux dentitions partielles. La nuit souvent, vers trois ou quatre heures du matin, je l'entendais monter péniblement les six étages pour regagner son chez-soi, complètement saoul et muni de bouteilles. Il chutait dans un son mat et lourd qu'accompagnait le bruit du verre cogné contre les marches. Son ascension pouvait prendre des heures et plus il s'approchait, plus j'entendais distinctement son souffle rauque et les jurons qu'il proférait dans sa langue. Une fois rendu à bon port, essoufflé et titubant, il faisait une halte dans le couloir, parlait à voix haute, pissait longuement dans les toilettes. Le bruit de son urine dans l'eau de la cuvette emplissait la nuit silencieuse. Des chansons parfois le couvraient, qu'il interprétait d'une voix extravagante et grave. De temps à autre, j'allais lui rendre visite, dans sa chambre minuscule, et le sol était jonché de bouteilles vides. Le dos tourné, il fouillait durant des plombes dans de grands sacs en plastique dont il finissait par sortir le joint ou les plombs que j'étais venu lui quémander. Régulièrement, il passait chez moi prendre un café, chercher du pain ou un savon, ou encore réparer une fuite sans jamais accepter le moindre billet. Il s'extasiait invariablement sur la surface de ma chambre, ne proposant pourtant qu'une dizaine de mètres carrés dont un bon tiers en soupente. J'y vivais au ras du sol. Il touchait mes livres sans les ouvrir, furetait dans les disques et, sur la seule foi de la pochette, me réclamait parfois d'en mettre un. Il écoutait en fermant les yeux, religieusement, les morceaux de Nick Drake, Dylan ou Leonard Cohen qui envahissaient la pièce. Il aimait que je hausse le volume, que le son recouvre tout. La voisine, une vieille Espagnole paranoïaque, se mettait alors à hurler, quittait son appartement pour me traiter de sauvage, m'ordonner de cesser ce foutu bordel et menacer d'appeler les flics. Elle ne les a jamais appelés et, du reste, je crois qu'elle les craignait comme la peste. Plusieurs fois au rez-de-chaussée, la croisant tandis que je relevais mon courrier, elle me confia que le sien lui était systématiquement volé, ou plutôt retenu à la source, contrôlé, ouvert, violé, sur ordre des plus hautes autorités de l'État. Elle prétendait en savoir trop sur différents sujets, qui tous relevaient d'une obscure théorie du complot. Dans son appartement sombre, aux meubles couverts de napperons noirs et ajourés, aux murs tapissés de crucifix, de portraits de la Vierge et d'assiettes peintes en provenance de Lourdes, Jacques Chirac souriait dans un cadre doré, tout près de Jean-Paul II. Elle prétendait les connaître l'un et l'autre, personnellement. Elle était totalement imprévisible et je ne savais jamais si, passant devant sa porte, elle allait l'ouvrir et m'accuser de mille crimes (le plus grave était de tirer la chasse d'eau en pleine nuit, les toilettes collectives jouxtaient sa chambre, et elle-même ne s'en servait jamais, usant m'avait-elle dit un jour d'une bassine en plastique, qu'elle avait tenu à me montrer, et dans laquelle je l'avais vue à plusieurs reprises laver son linge), ou si au contraire elle m'inviterait chez elle, insisterait pour m'offrir du thé et des biscuits mous et humides qu'elle sortait de boîtes en fer décorées, et m'entretenir sous le sceau du secret des affaires privées du pape et du maire de Paris.

J'ai vécu quatre ans dans cette chambre et j'ai vu mon voisin serbe se désagréger au fil des jours, ses dents et sa peau jaunir, ses cernes ne plus jamais quitter le dessous de ses yeux, son nez s'arrondir, rougir et se creuser en pores comme des ravins, son odeur devenir âcre. J'ai vu sa parole se tarir, ses rires sonores et ses chants d'ivrogne devenir de plus en plus rares et encrassés d'une toux qui bientôt ne le quitta plus. Les derniers temps il était presque mutique et ne sortait plus de chez lui que pour pisser ou puiser de l'eau au robinet.

Au milieu du couloir, ma chambre était cernée par deux autres pièces. Celle de gauche était occupée par un gros Russe d'une quarantaine d'années, serveur dans un restaurant voisin, et qui, en vertu de mes états de service dans la restauration, ne m'appelait jamais autrement que *collègue*. Il rentrait de son travail en plein cœur de la nuit, et lorsque j'étais chez moi, je pouvais l'entendre se doucher, mettre la télévision et ronfler une demi-heure plus tard. Il se levait vers midi et passait l'après-midi dans son appartement, vêtu d'un peignoir bordeaux qu'il ne quittait qu'au soir, pour revêtir son costume noir de serveur chic, les cheveux en arrière, gominés, et les joues rougies d'avoir été rasées de frais. Je le croisais dans le couloir ou bien il frappait à ma porte. Le week-end, nous vivions la même vie, à travailler tout ou partie de la nuit et à dormir le jour, somnoler l'après-midi, traîner enrobés de fatigue. Il m'invitait parfois à boire un verre chez lui et c'était un endroit invraisemblable, puant l'alcool et le sperme, la sueur et le tabac froid. Les murs étaient entièrement tapissés de photos de filles nues écartant les jambes sur des sexes rasés et roses, rouges ou carrément violets. Le téléviseur y était constamment allumé, branché sur des vidéos russes aux images crues et grises, des feuilletons au kilomètre réalisés sans moyens, écrits à la truelle et joués avec les pieds, des clips terrifiants où des musiciens vêtus comme des militaires singeaient avec aplomb et dans leur langue Depeche Mode, AC/DC ou Guns N' Roses. Il s'installait dans son canapé de cuir et me laissait le fauteuil, son peignoir s'ouvrait sur son torse adipeux et glabre, son caleçon trop large laissait apparaître une couille. Il me servait de longues rasades de vodka ou de whisky que je buvais sans broncher. Régulièrement, fixant l'écran, il m'apostrophait et s'extasiait de la beauté d'une chanteuse ou d'une actrice qu'il rêvait invariablement de se faire. On buvait sans trop rien dire, je suppose que ma présence le réconfortait. Assez souvent aussi, il venait me chercher chez moi et me menait à sa chambre où deux filles nous attendaient. Vêtues de manteaux de fourrure et toujours blondes, trop maquillées et parées de lourds bijoux dorés, elles parlaient à peine français et finissaient immanquablement sur nos genoux à déboutonner nos chemises. Puis elles nous suçaient agenouillées, le chemisier ouvert sur des seins lourds. En général, lui en restait là, ramenait la fille à sa hauteur, et l'enlaçait en fermant les yeux, joue contre joue, dans un mouvement de tendresse tout à coup désexualisé, comme câlinant une enfant ou se laissant bercer par sa propre mère. Quant à moi je m'éclipsais avec ma partenaire, regagnais par pudeur ma chambre pour la baiser dans la lumière intense que faisait le soleil à cette heure.

Au fil du temps, les filles se sont faites de plus en plus rares dans son appartement et les derniers temps, quand je le croisais et qu'il m'invitait à le suivre, il marchait fatigué jusqu'à sa chambre et s'écroulait sur le canapé. Il allumait un cigare, buvait une lampée de vodka au goulot et bientôt s'endormait tandis que je fixais l'écran où désormais, sans relâche, se succédaient fellations, cunnilingus et doubles pénétrations importés d'Europe de l'Est. Je me souviens que les images s'enchaînaient et qu'elles ne me faisaient pas plus d'effet qu'un documentaire animalier. La dernière fois que je l'ai vu, c'était le jour de la mort de Léa. Il venait de se faire virer du restaurant qui l'employait. On lui avait signifié que sa présentation laissait à désirer et que certains clients s'étaient plaints de lui, de son allure, de son indécrottable odeur d'alcool, de sueur et de tabac.

Léa vivait à ma droite. C'était la fille du propriétaire. Elle emménagea un dimanche de novembre, deux ans jour pour jour après ma propre installation. Un soir sur deux, elle dînait trois étages plus bas, partageait l'ennui parental et le visionnage d'un film de Claude Sautet ou d'Yves Boisset sur la deuxième chaîne. La première fois que je l'ai vue, elle portait des cartons dans l'escalier, les hissait du troisième étage au sixième. Ses longs cheveux noirs encadraient son visage, ses yeux comme des billes de verre, que séparait un nez étroit et pointu. Je lui ai proposé mon aide et elle m'a d'abord regardé d'un œil mauvais. « J'habite là-haut », lui ai-je dit. Elle n'a pas paru rassurée pour autant. J'ai tout de même empoigné un carton bourré de livres et nous avons multiplié les allers-retours. Le dernier carton posé, la pièce éclairée par l'ampoule nue suspendue au plafond récemment laqué, nous nous sommes assis par terre et elle a sorti un chandelier à sept branches, allumé autant de bougies et éteint les lumières. Ses yeux vibraient dans la lueur des flammes et nous avons partagé une bouteille de porto. Je regardais autour de moi, et sur la commode et les étagères m'arrêtait un visage en noir et blanc, une jeune fille qui lui ressemblait de façon troublante.

– Qui est-ce ?

– Ma grand-mère. Elle est morte à Auschwitz.

J'ai quitté sa chambre vers vingt heures, ivre et hanté par le regard intense de sa grand-mère, cette jeune femme aux cheveux tirés, aux lèvres minces, qui des quatre coins de la pièce semblait me juger, me jauger et m'absoudre. Combien de fois ai-je rêvé de cette femme irréelle et transparente caressant ma joue et mes cheveux, me souriant avant de disparaître ou d'arborer en un instant le visage de ma propre mère ? Parfois aussi, son visage se mettait à fondre et se muait en un squelette atroce qu'on pilait, le faisant disparaître après l'avoir détruit. Je me levais grelottant et couvert de sueur, sortais pour trouver les toilettes et longuement y vomir.

Plusieurs jours se sont écoulés après notre première rencontre, j'étais la nuit à la réception d'un hôtel, elle passait ses journées dans une faculté parisienne, et si nos chambres étaient mitoyennes, elle aurait très bien pu ne pas exister, ne jamais s'être installée là, n'avoir été qu'une apparition brumeuse et livide. C'est sa voix qui m'a réveillé, un soir de décembre. Son souffle perçait la cloison, parvenait à mes oreilles comme dans un rêve. J'ai ouvert les yeux et son lit devait prolonger le mien, nos cheveux séparés par la mince paroi de plâtre, tête contre tête. Elle gémissait d'une voix terriblement enfantine et émouvante. Le lendemain matin, dans le couloir, j'ai croisé un type qui sortait de chez elle. Il devait bien avoir cinquante ans, un ventre proéminent et des yeux minuscules.

Cela s'est reproduit de nombreuses fois. Pendant longtemps je ne l'ai pas recroisée et le seul signe de sa présence montait dans le soir. La plupart du temps, les types partaient quelques heures après avoir lâché un râle épais qui traversait le mur. Je me levais et j'entrouvrais la porte, je les voyais passer et ce n'étaient jamais les mêmes.

Je n'ai revu Léa qu'à la fin de l'hiver. Paris redevenait vivable autrement que plongée dans la nuit, la chaleur artificielle des lumières, leur reflet sur le capot des voitures et sur les trottoirs luisants de pluie. Elle m'a paru vieillie ce jour-là. Elle rentrait chez elle récupérer quelques affaires, ses parents étaient absents pour deux jours, elle avait prévu de passer la nuit trois étages plus bas, au milieu des pièces en enfilade, de leur décoration étouffante et moisie. Je lui ai demandé si elle serait seule et elle a eu un drôle de sourire en disant oui. Puis elle a ajouté que, si je le souhaitais, je pouvais lui rendre visite. Je n'avais qu'à sonner vers vingt heures à la porte de service.

Elle m'a ouvert et on ne lisait rien dans ses yeux fatigués. Quelque chose semblait profondément mort en elle et vous donnait envie de la prendre dans vos bras et d'embrasser son front, de la veiller dans la nuit, de la soigner d'une quelconque fièvre. Je l'ai suivie dans le silence épais du salon, assise au fond du canapé elle a ramené ses pieds sous ses cuisses, et ses genoux me fixaient. J'ai rempli deux verres de whisky et son visage bougeait légèrement dans la lueur des bougies. Je ne sais plus exactement de quoi nous avons parlé ce soir-là, je me souviens juste de son regard, de son nez étroit, du goût de l'alcool et du velours des fauteuils, du coton noir de sa robe, du trait de mascara sous ses yeux. J'avais déjà beaucoup bu lorsque j'ai voulu l'embrasser. Elle s'est dégagée lentement et m'a souri, m'a dit : « Tu sais bien qu'il y a quelqu'un. » Je lui ai juste demandé :

– Et les autres ?

– Quels autres ?

– Les autres. Ceux que tu amènes dans ta chambre. Ces types que je croise dans les couloirs.

– Eux, ça n'a rien à voir.

– Comment ça, ça n'a rien à voir ?

– Ça n'a rien à voir, je te dis.

Je n'ai pas insisté. J'ai rempli nos verres, mis sur la platine un vieux disque vinyle et l'ai invitée à danser. Elle s'est levée un mince sourire aux lèvres, dans l'œil une lumière qui me disait que je venais de marquer un point, que mon absence de réaction lui avait plu, que mon geste l'incitant à me rejoindre au centre du tapis persan la touchait. Nous avons tangué parmi les natures mortes. Le motif aristocratique du papier peint tournait sans fin, tremblant sous la flamme oscillante des bougies. Elle se pelotonnait contre moi, légère et fragile, l'os de sa clavicule était plus fin qu'une aiguille. Mes bras la recouvraient tout entière et j'avais l'impression que le moindre geste brusque pouvait la faire se briser comme du cristal sur le marbre. Mes yeux se fermaient dans l'odeur de ses cheveux, les siens étaient clos depuis longtemps, le disque s'écoulait sans fin, bloqué sur un tempo de valse lente qui nous allait. Lorsque j'ai rouvert les yeux, des larmes mouillaient ma chemise. J'ai écarté doucement son corps du mien. Du bout des doigts j'ai essuyé ses yeux, et sa bouche contre la mienne, son abandon, je peux encore les sentir comme hier. Dans le canapé, la tête au creux de mon épaule, Léa s'est endormie. Nous sommes restés longtemps ainsi et j'ai vidé la bouteille de whisky. Dans les derniers feux d'une bougie agonisante, le dernier nocturne d'un disque de Chopin, je me suis assoupi à mon tour.

Quand je me suis réveillé elle n'était plus là et j'étais nu sous la laine d'une couverture, dans le demi-jour des lourds rideaux tirés. J'ai regardé autour de moi, je ne me souvenais de rien. J'ai toussé longuement avant de pouvoir prononcer son nom. Je l'ai répété plusieurs fois mais personne n'a répondu. Ma tête pesait huit tonnes. J'ai entendu des clés tourner à l'entrée de l'appartement, des bruits de serrure. J'ai récupéré mes affaires à toute vitesse. Enroulé dans ma couverture orange, j'ai marché jusqu'à la cuisine. Juste avant de quitter l'appartement, j'ai entendu s'élever la voix de mon propriétaire qui s'étonnait de trouver en rentrant un tel désordre. Dans le couloir, j'ai croisé mon voisin russe. Il a éclaté d'un rire sonore en me voyant à demi nu. J'ai refermé la porte de ma chambre au moment où il me demandait si je me faisais le propriétaire ou sa fille.

Ce jour-là j'ai appelé le café pour dire que j'étais malade. Le patron n'a rien dit. Il ne disait jamais rien, me passait tout au motif que je lui faisais penser à son fils. J'ai dormi jusqu'au milieu de l'après-midi et pas un instant le visage et le corps de Léa n'ont quitté mon cerveau. À mon réveil, j'ai collé mon oreille contre le mur. J'ai entendu sa voix. Elle n'était pas seule. Un type a prononcé quelques mots que je n'ai pas saisis. Puis ce fut la montée habituelle de son souffle à lui et de ses cris très doux à elle. Ça n'a pas duré longtemps et quand il a joui, j'ai pleuré. J'ai entrebâillé la porte, me suis assis sur la moquette, l'œil contre la rainure. Au bout de quelques minutes, un type d'une quarantaine d'années est passé. J'ai refermé la porte en silence. Je me rappelle être resté assis là au moins deux heures, la tête entre les mains. Le robinet gouttait. Je n'avais pas la force de me lever.

Après ça, Léa et moi ne nous sommes plus quittés. Nos rencontres étaient irrégulières et sans préméditation. Il lui arrivait de cogner au mur et je répondais toujours. Plusieurs fois j'ai essayé de cogner à mon tour mais je n'ai jamais rien obtenu en retour. Je prononçais son nom, je l'appelais mais elle ne réagissait pas.

Quand elle me faisait signe, je quittais ma chambre et gagnais la sienne, elle laissait sa porte entrouverte. Sa grand-mère me fixait de tous ses yeux, du haut de ses vingt ans, de sa beauté diaphane et de l'ignorance de son sort. La honte semblait me contempler, l'horreur du monde et sa nuit barbare m'écrasaient. Je ne pouvais pas la quitter du regard, elle ressemblait tellement à Léa, malgré la coiffure datée et les vêtements d'avant guerre. Les étagères étaient couvertes de bougies de toutes les couleurs et de toutes les tailles. J'entrais dans sa chambre comme dans une chapelle. Rideaux tirés en plein jour, la pièce baignait dans une lumière orange. Je m'asseyais sur le lit et Léa me faisait face, en tailleur sur le tapis, portant à ses lèvres une tasse de thé brûlant. Sur son bureau s'entassaient des livres de droit et d'hébreu, brûlaient des encens et somnolait un chat noir. Elle le laissait sortir et je manquais de l'écraser dans les escaliers ou la pénombre du couloir. Il miaulait timidement et avait pris l'habitude de déféquer devant ma porte. J'aurais voulu lui ouvrir le crâne et en extraire toutes les images qu'il conservait de Léa. Son visage penché sur l'aridité du droit français, ses yeux fermés quand elle dormait, sa tête dodelinant légèrement quand elle écoutait de la musique, ses lèvres articulant des mots mystérieux, des prières, des cantiques, sa bouche soupirant quand elle baisait.

Nous avions nos habitudes. Le jour déclinait et elle passait des disques à la file, des chants yiddish, hongrois ou tsiganes que nous écoutions religieusement, adossés à son lit et les jambes étendues sur le tapis indien. Sa bouche se figeait parfois en un rictus énigmatique. Puis elle baissait le volume, et me demandait où j'en étais. Je lui racontais le chapitre que je venais d'écrire, ou encore je l'entretenais de mes atermoiements, des problèmes que je rencontrais. Je la tenais aussi au courant de mes démarches en direction des éditeurs parisiens. Elle s'enthousiasmait pour chaque péripétie, chacune de mes trouvailles formelles, le moindre mot encourageant qu'avait pu m'adresser le moindre stagiaire désœuvré. Plus tard dans la soirée, après deux ou trois verres de vin rouge, nous faisions l'amour. C'était souvent très rapide, âpre et brutal, d'autres fois très lent et très tendre, mais toujours après nous restions très longuement enlacés et je caressais ses yeux tandis qu'elle pleurait sans raison apparente. Au fil des semaines, son corps se couvrait de marques, de bleus, de petites cicatrices dont j'ignorais la cause. Je la consolais sans savoir de quoi, et elle faisait de même avec moi. Nous me faisions l'effet d'un frère et d'une sœur vaguement incestueux, perdus et effarés dans la nuit de ce monde, terrorisés et les yeux grands ouverts, écarquillés sur des régions froides où plus rien n'était possible. À deux doigts du radiateur nous tremblions de froid.

Tout ce temps, il demeurait fréquent que je l'entende gémir à travers la cloison. Au fil des jours, ses plaintes se faisaient chaque fois plus sèches, plus douloureuses. La porte claquait quelques minutes plus tard et plusieurs fois je l'avais entendue hurler : *Dégage, mais putain dégage*. Jusqu'au bout j'ai ignoré pourquoi elle baisait avec ces hommes, ce qu'elle cherchait en s'offrant ainsi. Je ne savais d'elle que ce qu'elle acceptait de me dire, dans sa chambre où vacillaient des ombres, ce tombeau, ce caveau à ciel ouvert. Entre les rideaux tirés on voyait les nuages et la cime des arbres, parfois tout était parfaitement clair, net et coupant, mais le plus souvent c'était Paris et son couvercle d'ardoise. De semaine en semaine, l'appartement se chargeait de tissus, de velours sombre, de lourdes étoffes, de livres épais, de bougies, de peintures. On y passait parfois du jour à la nuit sans même s'en apercevoir, on s'y terrait comme en un hiver éternel. Léa n'évoquait jamais ses parents, en revenait toujours à sa grand-mère, à Auschwitz. À Budapest où elle avait vécu un an, elle n'était qu'une enfant et n'en conservait aucun souvenir. Je l'écoutais et sa voix était déchirante, c'était une voix de petite fille usée.

Parfois nous sortions, comme on va chercher de l'air à la surface de l'eau. Elle choisissait notre itinéraire et je la suivais. Nous marchions dans Paris, la nuit nous enveloppait, nous avions froid et la Seine était paisible. L'île Saint-Louis et le Marais avaient sa préférence, ainsi que les jardins du Luxembourg où j'aimais m'endormir, le visage tendu vers le soleil en lisière des pelouses ou du grand bassin, ou bien à l'ombre de la fontaine. Elle m'entraînait dans des cinémas où l'on passait des films étrangers dont j'ignorais qu'ils pussent seulement exister, la plupart d'entre eux étaient infiniment tristes, merveilleusement lents, mélancoliques et désespérés. De temps à autre, elle entrait dans un café et me présentait une amie. Je restais quelques minutes en leur compagnie avant de m'éclipser. C'est ainsi que j'ai connu Claire.

À cette époque aussi, il m'arrivait de voir ma mère. Je veux dire : de la voir vraiment. Le café était parfois désert et dans le reflet d'une vitre elle apparaissait, passante au pas pressé. Je laissais en plan les verres que je rinçais, je lâchais au patron : « Je sors », d'un ton qui n'appelait pas de réponse. « T'as vu un fantôme ou quoi ? » Dans la rue, elle n'était plus au loin qu'une silhouette, un dos couvert du coton noir d'un manteau, où tombaient raide ses longs cheveux blonds. Je la suivais de loin, elle prenait la rue du Pont-Neuf ou bien de Rivoli, traversait la Seine vers Saint-Germain-des-Prés ou gagnait le quartier de l'Opéra par la rue des Pyramides. Je la rejoignais aux feux rouges. Elle me sentait sur ses talons, se retournait et chaque fois c'était un nouveau visage, différant à peine de celui de ma mère. Chaque fois, un détail l'en distinguait, suffisamment infime pour créer la confusion, mais assez visible pour lever aussitôt le doute. J'aime autant ne pas me dire que sa mort aurait dû suffire à me dissuader de suivre des inconnues que je prenais pour elle.

Paris regorgeait d'hallucinations, d'apparitions fugaces au coin d'une rue, dans l'ombre d'un porche, le reflet d'une vitrine. Paris débordait de sosies de ma mère. Femmes discrètes et livides, maigres et blondes, se hâtant sur les trottoirs, au milieu des voitures, disparaissant dans les bouches de métro, le hall d'un hôtel, la porte codée d'un hôtel particulier. Étrangement il s'agissait presque toujours de femmes élégantes et mystérieuses. J'entendais leurs talons claquer sous les arcades du Louvre, je marchais dans les traces que dessinaient leurs pas dans le sable des Tuileries, rivé à leur ombre sur le pavé de la place Saint-Sulpice, dans la fraîcheur des fontaines en été. Je m'asseyais près d'elles dans les cinémas de Montparnasse, je frôlais leurs mains, leurs poignets aux étals des bouquinistes du quai des Grands-Augustins. Je fixais leur dos aux terrasses des cafés, elles sirotaient des thés fumés, des martinis, des verres de pouilly boulevard Saint-Germain, rue de Buci, rue de Seine ou place de l'Odéon. Je respirais leurs parfums dans le métro aérien, entre Anvers et Belleville, où elles descendaient pour se rendre dans un immeuble défraîchi de la rue Julien-Lacroix, à deux pas du parc d'où l'on dominait la ville, où le ciel s'étendait à perte de vue.

Je les croisais aussi à la réception de l'hôtel où je veillais rue de la Lune, en retrait du quartier Strasbourg-Saint-Denis. Elles arrivaient vers minuit, portaient des manteaux noirs, des écharpes, des sacs à main au cuir lustré. Des types à l'allure invariablement louche, grands et taciturnes, les devançaient, les cachaient tandis qu'elles me tournaient le dos, s'allumaient une cigarette alors que contre un billet je délivrais la clé d'une chambre sans confort. Elles s'engageaient dans l'escalier et je n'avais pas encore vu leur visage. Me resservant un café, le cœur battant, je me demandais ce que faisait ma mère avec ces hommes, je rêvais à sa vie clandestine. Dans la nuit elles redescendaient, enfilaient leurs escarpins devant mon bureau et, relevant la tête, me souriaient. Bien sûr, aucune d'entre elles n'était ma mère, et comment en aurait-il pu en être autrement ? La nuit s'épuisait avec des lenteurs inédites. Je somnolais assis, jetant un œil de temps à autre au téléviseur minuscule où s'ébrouaient des animaux. Parfois je prenais quelques notes, rédigeais un chapitre, mais toujours je demeurais dans un état second, une sorte de rêve éveillé où j'avais cru voir ma mère, où contre toute raison je m'étais figuré qu'elle pouvait être en vie et la nuit, dans un hôtel minable, se présenter au bras d'un amant.

Un jour de mars, à nouveau je l'ai vue et elle me précédait dans les allées du parc Monceau. Un long manteau rouge tombait sur ses mollets, pareil à celui qu'elle portait tellement d'années plus tôt, alors qu'elle traversait un autre parc, et nous l'attendions garés près des grilles. À plusieurs reprises, elle s'est arrêtée pour contempler un arbre, un manège, un parterre de fleurs, deux enfants sages et vêtues de bleu marine. Je me rapprochais et son parfum était le même, son manteau râpé, comme si depuis bientôt quinze ans maintenant elle ne l'avait plus quitté. Une lumière dorée caressait les pelouses impeccables, une atmosphère de printemps régnait sur Paris et j'avais le cœur au bout des doigts. Elle s'est engouffrée dans le métro et dans la voiture qui filait en direction de la Porte Dauphine, nous nous sommes trouvés face à face. Compressés aux heures de pointe, nos visages se touchaient presque, j'ai effleuré sa main par inadvertance. Elle m'a souri d'un air triste, signifiant ainsi que ce n'était pas si grave. Bien sûr elle avait un peu vieilli, mais c'était elle, du moins m'en suis-je alors persuadé. De petites rides en étoile se dessinaient au coin des yeux. Sa bouche tombait légèrement aux commissures des lèvres. Elle était toujours aussi maigre, quasi transparente, mais il émanait d'elle une sérénité nouvelle, un abandon. Ma tête bourdonnait, le sang battait à mes tempes, et mes jambes étaient liquides. Les pensées se bousculaient dans mon crâne, tout y devenait confus mais une chose était claire : j'étais en présence de ma mère, elle ne m'avait pas reconnu mais comment aurait-elle pu le faire, je n'étais qu'un enfant quand elle s'était enfuie de cet hôtel, c'était la nuit et elle s'enfonçait dans la ville endormie, tandis que des falaises chutait une autre femme. Au matin, dans le wagon surchauffé d'un train régional, elle regardait défiler les prés sous la pluie, tandis qu'à Étretat on repêchait un corps méconnaissable et disloqué. Sur quelle inconnue avions-nous pleuré toutes ces années ? Quelle étrangère avait-on cachée six pieds sous terre, au creux d'un cimetière anonyme de la banlieue parisienne ?

Nous sommes descendus à la station Victor-Hugo. Le soir tombait sur des immeubles blonds et joufflus, des fenêtres hautes où pendaient des voilages, des allées bordées d'arbres où l'on ne croisait personne. S'y garaient des voitures lavées et presque neuves. Elle est entrée dans une brasserie, s'est installée près des vitres à moitié cachées par de petits rideaux de velours bordeaux. Comme moi, elle fumait des Craven et penchait la tête au moment de coincer sa cigarette entre ses lèvres. Sans doute attendait-elle quelqu'un mais personne n'est venu. Elle ne cessait de consulter sa montre et des gants noirs couvraient ses mains. Il était vingt heures quand elle s'est levée, et j'ai vu sa silhouette rouge s'éloigner dans la nuit survenue. Au 26 de la rue Longchamp, elle a composé un code avant de disparaître.

Deux jours plus tard, je me suis rendu à cette adresse. J'ai scruté les fenêtres. L'immeuble paraissait inhabité, et la rue, et le quartier. Les arbres griffaient les façades, j'ai attendu des heures entières et tout était suspendu. Elle a fini par apparaître. C'était bien ma mère qui s'avançait vers moi, j'en étais certain. Elle est entrée dans l'immeuble et je l'ai suivie. Les escaliers étaient larges et couverts d'un long tapis bleu roi. Une porte au fer ouvragé s'ouvrait sur une cabine d'ascenseur habillée de bois verni. Dans le miroir se superposaient nos visages, et mes lèvres en silence ont prononcé le mot *maman*. « Vous me parlez ? » Cette voix, je croyais l'avoir oubliée mais elle resurgissait intacte et familière. Nous nous sommes retrouvés sur le palier du quatrième étage. Elle a fait tourner les clés dans la serrure et m'a demandé : « Vous êtes un ami de Louis ? » J'ai acquiescé et elle m'a fait entrer dans un appartement vaste et sans meubles. « Il ne devrait pas tarder. Vous voulez du café ? » Un canapé recouvert d'un drap occupait le salon vide. Les larges fenêtres donnaient sur la rue et des immeubles pareils. Sur le parquet traînaient des papiers, des lettres, des enveloppes. Un téléphone a sonné dans une autre pièce. J'ai entendu des pas dans le couloir et sa voix prononcer quelques mots. Elle a raccroché et m'a rejoint, elle tenait un plateau où tintaient deux tasses et n'avait pas quitté ses gants. « Il ne viendra pas aujourd'hui. Un empêchement. Repassez demain si vous voulez. » Nous avons bu nos cafés et, lorsque l'un de nous prononçait un mot, nos voix résonnaient étrangement dans la pièce immense. Je lui faisais penser à quelqu'un mais elle n'a pas précisé qui. Elle m'a répété de revenir le lendemain, Louis serait rentré. J'ai quitté l'appartement et les mots que je n'avais pas prononcés me brûlaient les lèvres.

J'ai froid et le ciel s'éclaircit un peu. Au loin fraient des cargos. Sur les ponts rouillés passe infiniment mon frère et pour toujours peut-être. J'ignore s'il me manque, je crois qu'il fait partie d'une autre vie et que, depuis la mort de ma mère, j'ai appris à consentir à ce qui advient, à ne plus résister à rien. Je crois qu'en somme, le trou qu'elle a creusé en moi était déjà si large et profond qu'en y disparaissant il n'aura pu l'agrandir.

Je ne sais pas quand *exactement* mon frère surgit pour la première fois dans le flux troué de ma mémoire. Quand, au juste, il s'extrait de ces sables pour arborer un visage, une voix, une silhouette reconnaissables. Entre huit et onze ans, je crois qu'il se confond, selon les moments, soit avec moi soit avec ma mère. Pourtant, étrangement, il me semble le connaître depuis beaucoup plus longtemps que ça. Ce que j'ai oublié de lui importe peu je crois, s'est enfoncé moins loin, et je le garde pour ainsi dire sur le bout de la langue.

Des Abbesses à Marseille, de sa fuite à sa disparition, je ne l'ai vu que de part en part, ne l'ai eu au téléphone qu'une quinzaine de fois peut-être. Antoine me disait deux mots des pays qu'il accostait, m'énumérait ses escales, m'annonçait sa venue et nous en restions là. S'il avait du temps, il venait à Paris et frappait à ma porte. C'était il y a cinq ou dix ans et Antoine n'a jamais connu Chloé, n'a jamais su qu'elle était née. C'était il y a cinq ou dix ans, peut-être plus, le temps s'est tellement brouillé au fil des années. Antoine une fois par an grattait à ma porte en disant : « C'est moi. » Il entrait et m'embrassait, me faisait remarquer que c'était aussi petit que sa cabine et se servait une bière. Il allumait la télévision, on regardait des conneries en fumant des joints qu'il roulait les uns après les autres. La nuit tombée nous longions le parc désert, on passait les Batignolles et c'était la place de Clichy, son manège dans la nuit rouge. On allait dans les bars, mon frère finissait invariablement dans les bras d'une fille en noir, aux lèvres peintes, aux cheveux teints, aux seins découverts et je m'éclipsais, je rentrais chez moi complètement saoul, m'écroulais sur mon lit et il me réveillait quelques heures plus tard. Il s'affalait sur le canapé et se cognait la tête au plafond mansardé. Il me demandait d'ouvrir la fenêtre même en hiver, il voulait respirer l'odeur de la mer. Je m'exécutais et nous avions tellement froid. On s'endormait sous trois couvertures, côte à côte dans la pièce gelée, aux radiateurs coupés la nuit par le propriétaire. Antoine était déchiré, il avait fumé, pris de l'ecstasy, sniffé un rail de coke, il parlait en dormant, ravalait ses larmes et ses lèvres à grand bruit, il tremblait et se mettait à crier sans raison. La voisine venait tambouriner à la porte, nous hurlait de fermer nos gueules, et mon frère sanglotait de plus belle, et je crois qu'au fond nous n'avons jamais su parler autrement de la mort de maman. Jamais nous n'avons su en parler autrement qu'en nous mouchant sur le visage l'un de l'autre, en mêlant nos larmes et en nous serrant dans la nuit d'hiver.

Aujourd'hui plus rien ne me touche. Plus rien sinon Claire et Chloé. Et cette nuit, je ne parlerai pas d'elles. Non. Ou du moins pas vraiment. Non je ne dirai rien d'elles, par superstition peut-être, oui, sûrement, pour les arracher l'une et l'autre au mauvais sort, à la malédiction. Je parlerai d'elles un autre jour, une autre nuit, et alors je dirai le rire de ma fille et ses cheveux contre ma joue, et je dirai le regard de Claire et ma tête enfouie entre ses seins, ses mots simples et justes qui me font marcher debout, la tendresse qui nous tient, la consolation de vivre dans ses parages.

Le ciel s'éclaircit et entre les nuages perce un peu de rose, de jaune et de bleu. Je quitte mon abri de roches, le jour se lève lentement et la mer lèche la pierre blanche et perpendiculaire. Je me penche tout au bord, ce n'est plus si noir et bientôt c'est un bleu-gris très pâle que caresse un soleil horizontal. Je marche vers la plage, la terre glisse et mes pas y creusent des traces. Quelqu'un me regarde, il y a quelqu'un dans mon dos, je me retourne et il n'y a personne, juste le voile que laisse une absence, une ombre qui se retire. Comme le creux que fait ma mère dans mon ventre, comme celui que fait mon enfance. Une empreinte, un fossé, à peine plus, à peine de quoi croire qu'il y eut quelque chose plutôt que rien.

En bas de l'escalier, le jour s'est levé, pâle et étincelant. Sur les galets marche un vieillard, il fixe les falaises réapparues, un peu jaunes à cette heure. Des types aux terrasses portent des chaises, essuient des tables perlées d'eau. Au front des hôtels luisent quelques lucarnes. Je grelotte engourdi de sommeil. À la réception, une grosse bonne femme me jette un œil soupçonneux, je la salue d'un signe de tête. Dans la chambre encore sombre, rideaux tirés sur la lumière croissante, Claire dort profondément et Chloé, assise à ses côtés, me regarde, prononce le mot *papa*, puis me demande : « T'étais où ? » La voir ainsi me submerge, je la serre dans mes bras, à l'oreille je lui glisse que je l'aime, que papa était sorti se promener, sorti voir les oiseaux, qu'il ne faut pas qu'elle s'inquiète, jamais, que je serai toujours là pour elle. Elle pose un baiser mouillé sur mes lèvres et réclame les dessins animés. J'allume la télévision, laisse le volume à son niveau minimal, j'enlève ma veste et je me glisse entre elle et sa mère. J'ai sommeil, mes pieds sont glacés. Claire me prend la main et murmure : « T'es gelé », avant de se rendormir.

Le mois qui a précédé sa mort, Léa n'a cogné au mur de sa chambre qu'une poignée de fois. J'entrais et c'est à peine si elle relevait son visage pour me saluer. Les bougies s'enflammaient par dizaines et même la nuit elle faisait en sorte que jamais aucune ne s'éteigne. Elle était très silencieuse, recueillie aurait-on dit, et ses yeux mangeaient son visage. Les deux dernières fois, sa chambre était parfumée à l'éther et sur son bureau, à côté d'un petit verre d'eau, traînaient des plaquettes en aluminium où restaient quelques cachets. (J'ignore comment elle se procurait de telles quantités de médicaments, qu'elle mélangeait au gré de ses besoins. Peut-être avait-elle parmi les membres de sa famille un médecin peu regardant ? À moins que ce fût un de ses *amants* ?) Nous avons fait l'amour et son regard était lointain et dur tandis que j'allais et venais en elle. Son visage prenait des expressions hagardes et inquiétantes, et toutes révélaient une profonde absence, un éloignement. Nous avons baisé en silence et après, par deux fois, je l'ai étreinte à l'en étouffer, comme si cela pouvait la sauver, comme les vivants serrent leurs morts dans leurs bras juste avant que leur souffle s'éteigne. Je la serrais et son corps était froid et raide. Je l'ignorais alors mais elle était déjà loin, et rien ne pourrait la ramener à la surface.

Aujourd'hui encore, quand je repense à nos dernières heures blottis l'un contre l'autre, pareils à deux enfants cachés, tremblant de froid, de peur et de chagrin, je garde la sensation précise de son corps soudain plus dur que du bois, de sa texture de morte, son expression de cadavre. Je ne veux pas penser à ce qui un jour l'a précipitée de l'autre côté alors qu'elle se tenait tout au bord, comme beaucoup d'entre nous, comme moi. Je ne veux pas songer à cela, ni à sa troublante ressemblance avec Lorette les derniers temps, leurs visages fissurés, désertés par le sang, la vie et le pouls du monde, ni à ma mère, à leurs morts parallèles et volontaires, leur détresse et leur égoïsme, leur manière de nier que je puisse les arrimer au monde, les y tenir, que je puisse *faire une différence*. Je ne peux que constater que ni l'une ni n'autre ne *tenaient* à moi, quand moi j'aurais passé ma vie à tenir aux autres, à m'y accrocher même quand ils n'auront été que des planches savonneuses, des équipiers douteux, des comparses peu fiables, incertains. Et si la vie n'est rien d'autre que ce fil ténu qui nous rattache les uns aux autres, le mien était définitivement déficient, fragile et glissant, comme rongé par le sel.

Le jour de sa mort, collant mon oreille à la cloison, je n'entendis rien sinon le bruit de l'eau qui coulait à gros bouillons. Dans le couloir, une flaque s'était formée devant sa porte, qui s'étendait sur le carrelage. Le sol de la chambre était trempé, les rideaux étaient tirés, une centaine de bougies y brûlaient. Sur les murs, la même photo se répétait infiniment, et sa grand-mère y souriait timidement. J'ai poussé la porte de la salle de bains et elle gisait dans la baignoire, livide dans sa robe à fleurs gonflée d'eau, la peau et les poumons noyés. J'ai fermé les robinets et je suis ressorti aussitôt. Le gros voisin russe se tenait dans l'encadrement de la porte, le teint jaune et l'œil vitreux. J'ignore ce qu'il foutait là. Il m'a interrogé du regard.

– Elle est morte. Elle s'est tuée.

C'est tout ce que j'ai réussi à dire. Il a traversé la pièce, est entré dans la salle de bains à son tour, comme s'il voulait vérifier que je ne lui mentais pas. Il est ressorti et ses jambes ont paru se dérober sous son corps massif. Il s'est laissé tomber dans le fauteuil et ne s'est plus levé. Il marmonnait des mots incompréhensibles.

Je suis retourné dans la salle de bains. J'ai sorti Léa de la baignoire étroite. Son corps était humide et glacé, comme celui d'un poisson. Dans la chambre, sur le lit, vêtue de mauve et couverte de très petites fleurs roses, Léa ne cessait d'être morte. La porte s'est ouverte et c'était son père. Il est entré et ses jambes maigres flottaient dans le tissu de son costume anthracite. Il ne nous a pas regardés, nous étions invisibles ou absents, il a vu sa fille et s'est effondré. Nous sommes restés silencieux un moment, à attendre, et tout à coup il me semblait que l'air gelait autour de nous, figeait notre sang en une banquise bleu pâle. Au bout d'un long moment, il s'est relevé et, d'une voix très calme, nous a ordonné de déguerpir. L'un comme l'autre, nous pouvions vider nos appartements, il ne voulait plus jamais nous voir, nous laissait dix jours pour foutre le camp. Nous avons quitté la pièce en silence.

L'enterrement avait lieu deux jours plus tard. Avant de partir, je n'ai pas vidé l'appartement. J'ai juste rempli un sac. Je n'ai pris que le strict nécessaire. Quelques vêtements, mes papiers, mes manuscrits, mes carnets de notes. J'ai laissé la clé sur la porte et je n'en avais pas d'autre. J'ai rejoint le cortège dans une allée du cimetière Montmartre. Les hommes étaient tous très grands et chauves, vêtus de longs manteaux de cachemire, les femmes en tailleur sombre arboraient des lunettes noires et siglées. Les arbres montaient comme des flèches dans le ciel parfaitement bleu. Je me tenais en retrait. Une main s'est posée sur mon épaule. C'était Claire, et nous nous sommes tombés dans les bras, au milieu des caveaux où nichaient des oiseaux frigorifiés. Je lui ai demandé si elle ne voulait pas s'avancer. Elle a répondu qu'elle ne pouvait pas, qu'elle ne supporterait pas de voir le trou, le cercueil, la terre par-dessus. Nous sommes allés boire un café place de Clichy. La nuit tombait et nous y étions encore. Nous étions saouls et tristes. Ce soir-là je n'ai prévenu personne, je ne suis pas allé servir au bar où j'officiais. Le lendemain non plus d'ailleurs. Et puis plus jamais. J'ai pensé que le patron comprendrait. Je ne suis pas retourné à l'hôtel non plus.

Nous sommes sortis du café, et tout autour la place de Clichy tournait comme un manège, une féerie de néons et de phares. Nous avons marché jusque chez elle. Elle vivait déjà dans cet appartement sombre, aux murs pas droits, à la tomette rouge-orange, aux trois fenêtres percées face aux grands murs fissurés, aux chambres sur cour. Elle n'a pas allumé les lumières et le sol tanguait. Nous nous sommes déshabillés et rien ne pouvait réchauffer nos os glacés, notre sang congelé. Nous avons passé la nuit les yeux ouverts, immobiles et enlacés, sous des monceaux de couvertures. Dans le silence de l'immeuble, seulement troublé de temps à autre par le bruit de l'eau s'écoulant dans les canalisations, la sonnerie lointaine d'un réveil, j'ai senti ses larmes sur mon épaule, contre ma joue et dans ma bouche. Je me suis réveillé vers midi et elle était en boule sur le canapé, très pâle dans la lumière du matin, un rayon de soleil éclairait ses cheveux et chauffait sa peau rougie. Je ne l'ai plus jamais quittée des yeux.

Toutes ces années, tapi dans cette chambre au fond d'un couloir étroit, terré pour que jamais mon père ni personne ne me retrouve, c'était un peu comme vivre en clinique. Un long séjour sans docteurs ni d'autres médicaments que l'alcool. Il y avait des chambres, mes voisins étaient des patients, et nous nous croisions parfois. Nous sortions de temps en temps mais nous revenions toujours. Deux ans plus tard, on m'a rapatrié de Lisbonne en urgence. J'ai passé quelques semaines dans une galerie de pavillons qu'entourait un parc aux arbres nus et aux bancs recouverts de givre, et ce n'était pas si différent quand j'y pense.

Je ne sais plus pourquoi Claire avait songé à Lisbonne, peut-être à cause de Pessoa. La sortie de mon second roman, le silence qui l'accompagnait me tenaient la tête sous l'eau et je crois qu'il s'agissait dans son esprit d'un genre de voyage de la dernière chance. Le printemps s'amorçait et nous avions loué une chambre au bord du Tage. Je buvais du soir au matin et du matin au soir, et ne sortais jamais sans un grand imperméable dont les larges poches accueillaient deux ou trois flasques en réserve. Nous marchions dans les rues, moi à moitié saoul et elle épuisée de me tenir à bout de bras. Les escaliers plongeaient dans des ruelles étroites où tout semblait à l'abandon. Claire me prenait la main, j'étais saoul et comme habité, lucide et perdu. Tout me paraissait si clair et lumineux tout à coup, trop peut-être, comme en un éblouissement, une épiphanie, un vertige qu'accentuaient l'alcool et les médicaments. Je dévalais les rues en chantant, je m'asseyais sur les escaliers, laissais traîner ma main à la surface lisse et poussiéreuse des azulejos. Je riais sans raison, courais vers le fleuve, levais les yeux vers le ciel éblouissant. Claire me regardait de travers mais sans colère ni reproche, elle me glissait parfois que j'avais l'air d'un fou et je lui répondais que cette ville était mon cerveau, que j'étais un cerveau malade dans une ville malade. J'étais au bord de la folie en vérité, dans une alternance d'exaltation et d'abattement qui n'avait jamais connu de pareilles proportions. Lisbonne m'offrait un miroir, un lent délabrement. Comme elle je m'abandonnais à la fatigue, je renonçais, me laissais aller, riais quand je voulais rire, pleurais de même et hurlais dans la nuit. Claire me souriait tendrement quand je lui parlais de disparaître. D'autres fois me fixant du regard, tandis que je buvais sous un arbre, elle ne pouvait retenir tout à fait les larmes d'affluer et cela ne me faisait rien. Nous dînions dans des bistros où des habitués mâchaient des morceaux de morue baignés d'huile en regardant la télévision. Nous rentrions tard et je m'écroulais sur le lit, au plafond les poutres tournaient. Je m'émiettais et tout autour de moi semblait de travers. Claire prenait soin de moi, me déshabillait comme tant de fois à Paris, me faisait vomir dans les toilettes quand il le fallait. Elle exécutait tous ces gestes avec tant de douceur et si peu de fierté, je la détestais alors, la couvrais d'insultes et elle pleurait. Son visage était bouffi par les larmes et si rouge, je lui tordais les poignets et elle se débattait. Plusieurs fois je l'ai giflée. Elle me griffait, me mordait, et ses ongles faisaient sur ma peau des cicatrices rouges. Plusieurs soirs de suite nous nous sommes endormis ainsi, à bout de souffle, de larmes et de hurlements. Le matin n'effaçait rien. Nous reprenions le cours des choses, un cran au-dessus du matin précédent, et je voyais Claire perdre pied. Quant à moi, je ne saurais décrire les bouillonnements étranges qui gonflaient mon cerveau, les images qui me hantaient, tout était en friche et rien ne ressemblait à rien ni ne rimait à quoi que ce soit. Les angoisses succédaient aux éclairs, l'éblouissement précédait la frayeur, je subissais d'incessants accès de paranoïa, je ressentais quelque chose de l'ordre de la persécution, et tout cela se déversait sans fin sur Claire qui encaissait, stoïque, patiente, effondrée. Les vannes s'ouvraient et il me semblait que tout ce qui devait un jour exploser était en train de le faire, que tout ce qui aurait dû me détruire s'exécutait à grande vitesse. Je me consumais de l'intérieur, mon cerveau se désagrégeait, les digues s'effondraient, j'étais sur le point de rompre. Le dernier soir nous sommes rentrés et je ne sais plus pour quelles raisons je me suis mis à menacer Claire de me tuer. Je l'abreuvais d'insultes, lui criais qu'elle ne m'aimait pas, qu'elle voulait me détruire et m'humilier, que je ne supportais plus son regard de bonne sœur, son écœurante bonté, qu'au fond elle n'éprouvait pour moi que de la pitié et qu'elle me faisait vomir. Ensuite, les choses ont dérapé, je ne me souviens à peu près de rien, sinon d'être sorti en trombe en parlant de mourir. Je mordais mes dents, je serrais les poings en enjambant des escaliers, des rues, des avenues. Je marchais dans la nuit, seulement vêtu d'un caleçon et d'un tee-shirt, j'avais l'impression très nette de tomber en poussière, de me désagréger ainsi qu'un mur lépreux, j'avais l'impression très nette d'être menacé, j'étais persuadé que Claire me suivait et qu'elle voulait me tuer à petit feu, m'étouffer, m'effacer et m'éteindre. Après je ne me souviens de rien. Je me suis réveillé dans un hôpital et j'avais atrocement chaud. Claire me tenait la main et dans mon cerveau tout était vide et sans réaction. Mon corps était rempli de coton, mon crâne de brume légère ou de tulle très fin. Dans l'avion j'ai dormi. Toutes les heures, Claire me faisait avaler des médicaments qui m'abrutissaient. J'ai passé trois mois dans un centre où l'on me forçait à ne plus boire. Les deux premiers ont filé sans même que je m'en rende compte. De la suite, je garde surtout l'image de la chambre calme et silencieuse, du parc où tombait la lumière, de Claire qui me tenait le bras et de ses baisers dans mon cou, des menues nouvelles qu'elle me rapportait de l'extérieur. Le psychiatre était un grand type aux cheveux gris, il me faisait penser au docteur chez qui j'avais emmené Lorette, il me parlait très simplement, prenait le temps de m'écouter et ses manières étaient douces avec tous les patients. Je lui obéissais sagement, ne buvais rien et endurais les semaines de vertiges, les crises d'angoisse et les violents maux de tête que tout cela supposait. Je me contentais de patienter et ne nouais avec les autres malades que des relations superficielles, me mêlais peu, leur détresse me faisait peur, je craignais qu'elle me contamine. Le sophrologue tenait ces réactions pour positives. Il affirmait qu'ainsi je faisais preuve de mon désir de guérison, qu'ainsi aussi, comme une superstition, je tentais de briser le cercle morbide, de m'affranchir du malheur et de la dépendance. Je ne sais pas. J'ignore s'il avait raison. Après tout je ne maîtrisais rien de mes pensées et lui ne faisait qu'interpréter mes comportements. Je crois surtout que dans chaque visage je reconnaissais quelqu'un, je voyais l'un des miens. Ces deux-là près de l'arbre, lui en survêtement et les gestes nerveux qu'il ne contrôle pas, elle en robe noire et très maigre, ce sont Nicolas et Lorette. Et cette femme au loin, toujours muette et le regard dans le vide, que parfois viennent visiter un homme et deux enfants, tentant en vain de lui arracher un regard, un mot, un geste, un sourire, n'est-ce pas ma mère ? Ne va-t-elle pas sortir un jour et les suivre au bord de la mer, et dans la nuit survenue quitter la chambre, monter dans le noir vers le ciel et les champs battus par le vent, se jeter dans la mer et mourir les poumons remplis d'algues et de sable ?

Je suis sorti et c'était l'été. Paris était désert, Claire avait pris des vacances et je couvrais son joli visage de baisers, j'aurais voulu lui dire qu'elle m'avait sauvé, qu'elle me sauvait chaque jour mais je ne disais rien. Quelques jours plus tard, je vidais ma première bouteille de whisky. Les médicaments me maintenaient à flot, mes nuits étaient peuplées de cauchemars et tout autour de moi me semblait saturé de tristesse. Je couchais sur le papier d'obscures histoires de boxeurs alcooliques, de croque-morts ployant sans fin sous le poids des morts. Nous sommes partis en Bretagne quelques mois plus tard.

Après notre rencontre inopinée dans ce bar PMU des Grands Boulevards, je n'ai jamais recroisé mon père. Il a disparu de ma vie et, toutes ces années, je n'ai pas pensé à le revoir, je n'ai jamais été tenté de prendre de ses nouvelles. C'est Claire qui m'a convaincu un jour de décrocher le téléphone. Neuf ans avaient passé sans un mot échangé, sans même une lettre ou une simple carte postale. Des livres étaient sortis, un film se préparait et je passais de temps à autre à la radio, ou bien ma photo s'imprimait dans quelques magazines. Je ne pouvais m'empêcher de penser que peut-être il m'entendrait, découvrirait mon visage et, pourquoi pas, entrerait dans une librairie demander s'ils avaient en rayon le dernier roman de son fils. Mais pas un instant je ne me suis posé la question de savoir s'il était seulement en vie. J'ignore pourquoi, mais cela ne me traversait pas l'esprit, je ne pouvais imaginer mon père mort. Chloé venait de naître. Claire insistait pour que j'en informe mon père, qu'au moins il sache qu'il était grand-père. Elle trouvait que c'était la moindre des choses, l'occasion de renouer le contact. Des centaines de fois j'ai regardé le téléphone sans pouvoir m'en saisir, inspirant profondément pour me calmer et trouver l'énergie et l'inconscience de l'appeler, d'entendre sa voix, à nouveau, alors qu'il me semblait la fuir encore et toujours, qu'il me semblait parfois que c'était là le sens caché de ma vie, fuir mon père et chercher sans fin ma mère enfuie.

Je ne sais plus ce qui m'a décidé, pourquoi ce jour-là, peut-être était-ce le soir, sans doute avais-je bu, j'ai trouvé la force, le courage de le faire. J'ai attrapé le combiné, composé le numéro. Je me tenais debout dans le couloir, du salon me parvenaient la radio allumée et les couinements minuscules de ma fille, animal affamé cherchant les yeux fermés et la bouche grande ouverte le sein de Claire. Du dehors m'arrivaient des cris d'oiseaux, des bruits de gouttières et d'arbres pliés. La première sonnerie a retenti et j'étais prêt à raccrocher sitôt que sa voix s'élèverait. Mais cette fois-là, et toutes celles qui ont suivi, le téléphone a sonné dans le vide, et aucun message, aucun répondeur ni aucune voix n'est venu interrompre ce battement régulier et synthétique. Claire a fini par me convaincre qu'il se passait peut-être quelque chose, que mon père était peut-être à l'hôpital, ou bien qu'il avait déménagé, et moi je l'imaginais dans une de ces institutions pour personnes âgées où des vieux décharnés et hagards s'assoupissent dans la salle commune devant le téléviseur, se chient dessus en dormant et reçoivent la visite de neveux dont les noms leur échappent, subissent la présence continuelle d'infirmières et d'aides-soignantes qui leur parlent avec cette intonation qu'on réserve d'ordinaire aux tout petits enfants ou aux animaux. Des endroits parfumés à la Javel où les corps trahissent, s'affaissent et souffrent sans discontinuer, où la vie s'étiole, les chairs pourrissent et dégagent une odeur de mort et de moisi, pareille à celle que prend la peau sous le plâtre après des mois d'immobilisation. Des lieux où l'esprit veille mais où la bouche ne répond pas plus que les jambes ou le sphincter. J'imaginais mon père cloîtré dans ce monde de morts vivants, j'imaginais sa colère prendre d'autres formes, se heurter à d'autres murs, d'autres visages, d'autres gestes, je l'imaginais comme un de ces vieux insupportables et méchants, colériques et détestables dont se plaignent les infirmières. Je l'imaginais ainsi et malgré tout, plusieurs fois par jour, je composais son numéro. Une ou deux fois je tentai ma chance dans un des hôpitaux voisins mais non, son nom n'apparaissait dans aucun registre d'admission, les secrétaires au téléphone me demandaient si j'étais son fils et je disais oui et toujours elles s'interrogeaient à voix haute : comment était-il possible de ne pas savoir où était son propre père, s'il était malade et de quoi ? Je n'écoutais pas leurs jérémiades, raccrochais et faisais signe à Claire que non, là non plus on ne l'avait pas vu. Elle paraissait plus inquiète que moi. En dépit de ce que j'avais pu lui raconter de mes relations avec lui, elle concluait toujours de la même manière, par cette phrase imparable : « Mais ça reste ton père. » Je n'ai jamais compris ce qu'on entendait par là, ce qui faisait des liens familiaux des liens si différents des autres qu'on ne puisse les rompre quand tout nous y menait, quand on finissait par les trouver trop lâches ou étouffants. J'ai fini par céder. C'était un jour de novembre, nous avons pris le train à Brest, et quand nous sommes arrivés à Paris, tout était humide et brumeux, nimbé du gris dégueulasse des villes, gorgé de tristesse poisseuse. Nous avons pris le RER. Emmaillotée dans une grosse couverture, Chloé dormait en poussant de petits grognements, s'agitait et remuait ses doigts qui s'accrochaient à mon nez et à mes oreilles. On traversait des rangées d'immeubles et de fenêtres, longeait des entrepôts, des zones industrielles et d'autres commerciales, des pavillons alignés, identiques à celui où j'avais grandi et où j'allais retrouver mon père. Dix minutes avant la gare, on pouvait déjà apercevoir les tours de la cité, ces huit tours gris perle qui à certaines heures plongeaient notre maison et son jardin dans l'ombre. De la chambre de Lorette, on pouvait suivre les allées et venues du vieux, guetter son départ pour réinvestir les lieux, regagner nos chambres ou regarder la télévision dans le salon. Chloé s'est réveillée alors que le train freinait et nous avons dû attendre, assis sur un banc du quai désert, à l'abri du toit prune, tandis qu'il crachinait et que ma fille tétait le sein de Claire. Toutes deux se cachaient derrière une couverture bleu pâle et les haut-parleurs diffusaient une chanson de Joe Dassin, *Salut les amoureux* je crois.

Rien n'avait changé bien sûr. L'enseigne Mammouth avait été remplacée par le lettrage rouge de la marque Auchan, le parking s'était agrandi, les tours avaient été repeintes et à leur pied, entre deux rangées de voitures taguées, on avait construit un bâtiment abritant une *maison de quartier*, jouxtant un carré de ciment grillagé aux extrémités duquel se dressaient deux panneaux de basket. Chloé pelotonnée contre mon ventre, mon nez dans ses cheveux fins, respirant son odeur de sommeil, de savon et de lait caillé, j'ai pris des rues désertées depuis tant d'années, intactes et figées, où seules les marques des voitures, les modèles et la couleur des peintures avaient suivi le cours du temps. Ce monde-là ne ressemblait à rien mais, au fond, cela avait toujours été le cas.

La maison se dressait étroite au milieu du jardin refait. Du ciment avait été coulé là où se dressaient des herbes hautes, du gazon ras poussait au pied d'un jeune cerisier, des rangées de fleurs ordonnées longeaient le chemin. Les murs étaient crépis et camouflés par des lauriers, des bambous ou du lierre. La porte en fer était repeinte et fermée à clé. J'ai sonné. Une femme est sortie de la maison et s'est avancée vers nous. Elle devait avoir une cinquantaine d'années ou peut-être plus, ses cheveux teints et permanentés encadraient son visage de moineau. Elle arborait un air craintif, ce même air qu'ont toujours les gens quand un inconnu les aborde, comme si le monde était peuplé seulement d'égorgeurs et de violeurs d'enfants, comme si le monde ressemblait vraiment à l'indigente fiction qu'en offrent les journaux télévisés. Du menton, elle nous a demandé ce que nous lui voulions. « Je cherche mon père », me suis-je entendu énoncer, tandis que Chloé frottait son visage contre ma peau.

– Votre père ?

– Oui. Mon père. Il habite ici.

– Ici ? Ça m'étonnerait. À moins que mon mari ait des enfants et qu'il ne m'en ait rien dit.

J'ai regardé Claire et nous ne pensions pas à la même chose. Claire voyait déjà mon père en maison de retraite, en séjour de longue durée dans un quelconque hôpital ou bien mort. Quant à moi, sans même y réfléchir, des images fugaces me traversaient l'esprit, où il était question de mon père remarié, de son silence à notre sujet à tous, ma mère, Antoine et moi, son passé effacé des tablettes, nos noms rayés d'un trait de crayon silencieux, une vie lavée de nous trois et sa mémoire comme neuve, délestée de cette vie ancienne et pesante et qu'il n'avait jamais aimée, tout comme il ne nous avait jamais aimés Antoine et moi, du moins pour ce que j'en savais et finalement bien sûr je n'en savais rien, toutes choses enfouies dans des sables d'une mémoire où plus je creusais, plus je m'enfonçais profondément. Chloé s'est mise à pleurer et c'était fou comme elle pouvait tout sentir, comme elle devinait tout et se confondait avec moi. J'étais muet, et j'aurais voulu me dire que ça m'était égal, la maison désertée par mon père et avec lui tout ce qui avait précédé, les derniers souvenirs de ma mère errant dans ce pavillon triste, j'aurais voulu me dire qu'au fond je m'en foutais de cet endroit, du jardin changé, de la rue pareille et de ce que ça faisait remonter, les odeurs, la lumière, la texture de l'air, le ciment sous mes pieds et les tours au loin, j'aurais voulu me dire que je ne ressentais rien, qu'être ici après tant d'années ne me faisait rien mais c'était faux et mes yeux s'embuaient et ma gorge se serrait, maman marchait dans le jardin, pieds nus dans l'herbe humide, et Antoine me regardait, son visage inondé de soleil et son œil droit qu'il ferme à cause de la lumière. Tout était réduit à des formes imprécises, des visions troubles. La voix de Claire me parvenait comme entourée d'ouate ou de coton, lointaine comme dans un rêve. Elle conversait avec la femme, elle, elle était là depuis deux ans maintenant, elle ne connaissait pas l'ancien propriétaire, ne connaissait même pas son nom, il faudrait demander aux voisins, peut-être qu'eux sauraient, elle était désolée, elle ne pouvait rien pour nous, au revoir. J'ai suivi Claire comme un somnambule, j'ai vu la voisine sortir de sa maison, s'essuyer les mains sur son tablier, je l'ai reconnue et elle nous engueulait quand on foutait le ballon chez elle à cause des fleurs. J'ai entendu ses mots quand elle a parlé de mon père, de sa maladie et du jour où l'ambulance était venue le chercher, des dizaines de fois où elle était allée le voir à l'hôpital et le pauvre homme, c'était sa seule visite, ses enfants l'avaient abandonné, si c'est pas terrible de nos jours la solitude, ces gens qu'on enterre sans personne, qui meurent sans que leurs enfants s'en soucient. Je me rappelle avoir pensé confusément que c'était aux parents de s'occuper de leurs enfants et pas le contraire, j'ai serré Chloé contre moi et j'ai pensé cela plus fort encore, j'ai pensé à la protéger toute sa vie, j'ai pensé à faire en sorte qu'elle ne manque jamais de rien, et pas seulement de nourriture, d'argent ou d'un toit mais aussi de baisers, de gestes et de mots d'amour, j'ai pensé : « Quand je serai vieux je me ferai tout petit et toute ma vie, Chloé, je me ferai tout petit pour toi, léger mais présent, présent seulement si tu le veux, si tu en as besoin, si tu le juges utile. » Elle a dit : « Maintenant c'est trop tard », et elle me fixait de son regard de vieille pie, de vieille qui engueule les enfants quand ils jouent dans la rue, quand leurs ballons tombent sur ses fleurs, elle a dit ça et aussi qu'il était mort et enterré, et que jusqu'au bout elle était allée le voir à l'hôpital. Elle a ajouté en me regardant de travers qu'elle se demandait à quoi pouvaient être suffisamment occupés des enfants pour en oublier leur père, surtout quand il vit seul, au point d'ignorer qu'un cancer le ronge puis l'emporte dans la tombe. Elle a continué à parler de lui, comment il avait maigri vers la fin, comment il appelait les infirmiers et les médecins par les prénoms de ses deux enfants, Antoine et Olivier, comment il donnait du *ma chérie* à une aide-soignante très fine et très blonde qu'il prenait pour sa femme, et c'est vrai qu'elle lui ressemblait. Elle a enchaîné sur les plats qu'elle lui avait cuisinés tout ce temps-là, après le départ du deuxième enfant – elle disait cela comme si je n'étais pas là, comme si ce n'était pas moi l'enfant en question, elle parlait de moi à la troisième personne alors que nous nous faisions face –, elle venait faire son ménage une fois par semaine et le pauvre homme était bien seul et pourtant si gentil, bavard, drôle, jamais un mot plus haut que l'autre, jamais un mot méchant, toujours bien poli et pas geignard pour un sou, même quand le cancer le faisait tant souffrir, lui avait enlevé ses cheveux et sa raison. Puis elle a parlé du cimetière, de l'enterrement où il n'y avait qu'elle et un collègue du temps où il était taxi, et puis deux ou trois frères et sœurs qui avaient passé leur temps à énumérer des griefs, accumulations de reproches mineurs dont il ressortait au fond, simplement, qu'ils ne l'aimaient pas. D'où vient que tous ceux qui le connaissaient un minimum haïssaient mon père, et que la seule qui peut-être l'avait aimé un jour avait préféré se jeter du haut d'une falaise ?

Chloé bavait contre ma chemise, son corps chaud et moite contre mon torse, sa bouche humide et sans dents mâchant le doigt que je lui donnais à mordre ou bien le col de mon manteau. Nous avons marché dans des rues grises et Claire me serrait les doigts dans sa main gantée. Elle se tournait vers moi, guettait une réaction sur mon visage, et j'étais incapable de penser, de réaliser qu'il était mort et de comprendre si oui ou non ça me faisait quoi que ce soit. J'ignorais s'il emportait avec lui quelque chose de ma mère et je crois que c'était là la seule chose qui m'importait. Qu'emmenait-il d'elle dont on m'avait tant volé ? Qu'emmenait-il de moi, de ma mémoire, des sables opaques de mon enfance ? Toutes ces années avaient-elles bel et bien disparu cette fois, enterrées six pieds sous terre, collées à lui dans le noir du cercueil ? On tournait le dos à la nationale, derrière les maisons alignées on voyait au loin les arbres penchés sur le fleuve, et dans les trouées passaient des péniches. Près du terrain de sport abandonné, gradins aux murs couverts de grafs immenses, aux roses sales aux bleus délavés, pelouse mitée et poteaux de but rouillés et sans filets, se hissaient des murs tachés d'eau. Le cimetière était minuscule et protégé des regards, semé de cailloux blancs ou gris pâle, disciplinés en allées impeccables. Claire a poussé la lourde porte en fer. Chloé avait faim, s'agitait et pleurait dans le silence qui enveloppait tout, assourdissait étrangement la rumeur alentour. La tombe de mon père était au fond sur la droite, une dalle sobre, d'une simplicité extrême, sans fleurs ni rien. Claire s'est assise sur la pierre froide, Chloé a ouvert grand la bouche et gobé son sein. Confusément, quelque chose m'a paru prendre sens alors, sans que je sache bien quoi, tandis qu'une main dans la poche de mon manteau, l'autre tenant une cigarette, sous le ciel parfaitement bleu et lavé, je contemplais la femme que j'aimais nourrir ma fille près de la tombe de mon père. Nous avons repris le train dans la soirée.

Cette nuit-là j'ai mis longtemps à m'endormir, j'ai passé plusieurs heures à fumer à la fenêtre, puis debout dans le placard étroit, ma joue contre le mur, au milieu de vêtements, ainsi que j'avais pris l'habitude de le faire sans savoir pourquoi, comme si faisant cela je cherchais encore à entendre Léa de l'autre côté des parois. Chloé dormait contre sa mère. J'ai fini par m'assoupir à l'aube, en chien de fusil sur le canapé du salon. Par la porte entrouverte me parvenaient leurs respirations mêlées, la petite se calait sur la grande. J'ai calqué mon souffle sur le leur et nous étions tous les trois pris dans la même respiration au milieu de la maison froide et secouée par le vent, où séchaient des bouquets de fleurs et s'empilaient des livres, des disques et des revues couvertes de poussière. J'ai plongé dans un sommeil de plomb, une nuit profonde et noire, comme englouti par des eaux denses et glacées. Et mon père est apparu, plus réel que la vie même. Le père oublié de mes quatre ans, de mes six puis de mes huit, celui que je n'avais vu qu'en photos vides de sens, ce type à moustaches et chemises de coton légères et rayées, affairé dans le jardin et souriant, prenant ma mère par les hanches ou soulevant Antoine vers le ciel lacéré par les lignes télégraphiques où s'alignaient de petits oiseaux noirs. Je le voyais soudain, mon père, avec cette sensation de vérité intense que prennent parfois nos rêves, j'entendais sa voix et je sentais sa main dans mes cheveux, son souffle contre mon front tandis qu'il me portait. Les scènes se succédaient, plus nettes que des souvenirs, plus indiscutables et troublantes encore. Mon père se tenant devant une maison que je ne connais pas, et derrière lui des champs sous le soleil et les montagnes au loin. Les mains sur les hanches il nous observe et nous sommes perchés dans un arbre. Antoine descend puis c'est mon tour et mon père me tend les bras, je me laisse tomber et il me rattrape et me fait tourner et le ciel et son visage, ça valse et ça se trouble, son visage et son sourire sous le ciel étincelant, et puis sa voix dans mon oreille, le rêche et le râpeux de sa joue, les muscles de ses bras durs. J'ai six ans peut-être sept et sa voix je l'entends, pour la première fois je l'entends et elle est calme et posée, parfois rieuse, il m'appelle *mon petit loupiot*, c'est ainsi qu'il me nomme et c'est la première fois, ces mots dans sa bouche, ce genre de mots comme *mon loupiot mon lapin ma loutre*. Je le suis sur mon vélo et on passe le pont par-dessus un bras mort, on s'arrête pour contempler les péniches, les barges, les immeubles en face, les avions qui survolent, décollent à peine ou s'apprêtent à toucher le ciment des pistes d'Orly. Il se tourne vers moi, il dit : « On fait la course », et il me laisse gagner. Plus loin, on joue au foot et il m'attrape aux chevilles et on se roule dans l'herbe et après on boit côte à côte à bout de souffle, il me dit le nom des arbres et des oiseaux. C'est dans le jardin devant le barbecue et maman sur la terrasse ferme les yeux et le soleil lui mord la peau en douceur. Je fais pareil et face à la lumière ça nous fait les paupières orange. Je les ouvre à peine et tout est trouble. Je tends les doigts, j'attrape une feuille de bouleau, je la dirige vers le soleil et pendant des heures maman et moi, on regarde le monde en transparence. Mon père dirige vers nous le tuyau d'arrosage et nous arrose, maman crie et hurle de rire et Antoine arrive muni de bouteilles pleines, il se met à courser mon père qui se marre tant qu'il peut et je ne sais pas combien de fois on fait le tour de la maison comme ça et dans ces images je ne reconnais rien ni personne, ni mon père ni ma mère, et mon frère pas plus et moi moins encore et au fond j'ignore si tout ça c'était juste un rêve, pas plus vrai qu'un autre, aussi illusoire et irréel que si j'avais rêvé ce soir-là que je baisais une actrice connue ou une copine d'école, ou bien de monstres dans l'espace, de chambres closes, de labyrinthes, de sorties dans la rue en pyjama ou pieds nus, ou encore, comme il m'arrivait de le faire, d'être adulte et élève de CM1 au milieu des enfants.

Après ça, contrairement à ma mère, mon père a déserté mes rêves, comme il avait déserté ma vie. Après ça il me semblait parfois que quelque chose s'était éclairé, un pan de mon enfance oubliée, qu'une interrogation s'était levée, qu'à la question de savoir qui était mon père avant la mort de maman je pouvais apporter une réponse rassurante, qui suggérait que sans doute il y avait eu des temps heureux, et que ce trou noir était un puits de tendresse, un socle d'amour. Mais d'autres fois, la plupart du temps en fait, il me semblait que ce rêve n'avait été qu'un songe et rien d'autre, une invention, et que de toute façon il ne changeait rien à rien, ce qu'on oublie n'existe pas. Ce qui s'efface de nos cerveaux s'efface aussi de nos corps, de notre sang, de notre vie, ne laisse aucune trace, ne creuse aucune empreinte, sinon celle d'un vide absolu, vertigineux et froid.

J'ai trente et un ans et rester en vie a longtemps été pour moi une activité à plein temps, un programme, un horizon. Garder un semblant d'équilibre. Ne pas tomber en miettes ni fondre en larmes. Ne pas m'enfoncer, me laisser entraîner par ceux qui sont loin désormais, à qui j'étais lié et dont le poids me leste.

J'ai trente et un ans et peu importe. Je sais le poids des morts. Et je sais le mauvais sort. Je sais la perte et le saccage, le goût du sang, les années perdues et celles qui coulent entre les doigts. Je connais la profondeur des sables, j'en ai éprouvé la résistance, la matière meuble, équivoque. Je sais que rien n'est fiable, que tout se défait, se fissure et se brise, que tout fane et que tout meurt. La vie abîme les vivants et personne, jamais, ne recolle les morceaux, ni ne les ramasse.

Nos vies sont les mêmes. Nos vies sont pareilles et inquiètes. Nos mémoires délavées, rongées par l'acide, trouées comme du mauvais coton. Notre avenir enfoui, notre histoire illisible, sans contour ni colonne vertébrale, toutes lumières éteintes. Nos vies sont des morceaux mal assemblés, des bouts épars qui jamais ne se joignent. Nos vies sont modernes et oubliées, minuscules et laissées pour compte. Millions de fenêtres allumées aux façades, de phares dans la nuit, de corps dans la ville.

Nos vies sont les mêmes. Nos vies sont pareilles et désemparées. Nous avons grandi à l'ombre de nos pères menaçants et froids, dans la fragilité usée de nos mères, nous nous serrions les uns contre les autres au creux de cités gelées, de maisons identiques et horriblement silencieuses, au creux de rues rongées d'angoisse et d'ennui, au milieu d'adultes morts. Oui, nous avons grandi dans la terreur de nos pères, le silence inquiet de nos mères, le vide que creusaient des lieux abstraits, inexistants, sans périphérie ni centre. Nous n'étions ni riches ni pauvres, ni pauvres ni riches, nous ne croyions en rien ni personne, et rien ni personne ne croyait en nous.

Nos vies sont les mêmes. Nos vies sont pareilles et sans recours. Nos enfances suintent l'ennui et la peur, nos adolescences se fracassent contre des murs invisibles, nos maisons se confondent et se noient dans le paysage immense. Et sans fin tandis que le temps passe, nous regardons les nôtres tomber un à un, nous les voyons s'enfoncer et disparaître. Aujourd'hui nous marchons au hasard et nos pieds fraient dans les cendres. Nous n'avons pas connu l'histoire. Nous ignorons tout du sens de la marche. L'époque ne nous concerne pas et la société est une fiction trop immense pour seulement se la figurer. Nous allons et venons au gré du courant et tout nous glisse entre les doigts. Nous nous accrochons à ce qui nous rassure et nous retient, nous relie et ainsi, frottés les uns contre les autres sans jamais nous toucher, nous avons moins peur et quelque chose semble enfin se dessiner. Mais rien de précis ne s'affiche jamais nulle part, le vent souffle et le givre est partout. Noyés dans la masse nous dérivons, tremblants de froid nous avançons, comme des têtards aveugles. Sous nos pas tout se dérobe, et dans nos mains la vie s'enfuit comme du sable entre les doigts. Et pourtant nous continuons, pour la plupart nous continuons. Nous essuyons la poussière sur nos mains, sur nos genoux. Nous séchons le sang sur nos paumes, nous croisons les doigts et ainsi nous croyons conjurer le malheur.

Nos vies sont les mêmes. Nos vies sont pareilles et défigurées. Nous pleurons les mêmes morts et vivons dans la compagnie sombre des fantômes, nos corps s'emmêlent et cherchent en vain l'impossible consolation. Infiniment perdus dans la foule, nos vies tiennent dans un dé à coudre. Et nous avons beau nous hisser sur la pointe des pieds, nous demeurons plus petits que nous-mêmes.

Nos vies sont les mêmes. Nos vies se débattent, crient dans la nuit, hurlent et tremblent de peur. Infiniment nous cherchons un abri. Un lieu où le vent siffle moins fort. Un endroit où aller. Et cet abri est un visage, et ce visage nous suffit.

Claire se réveille et s'étire, m'embrasse et Chloé se jette sur elle en riant. Je m'endors pour une heure ou deux. Pendant ce temps-là j'entendrai leurs voix, leurs murmures, leurs rires étouffés, l'eau qui coulera dans la baignoire, le froissement des étoffes. Plus tard nous irons sur la plage, lancer des cailloux dans l'eau grise et bleue. Puis nous marcherons en surplomb de l'eau, et plus tard encore nous roulerons vers chez nous, vers d'autres sables, d'autres eaux. Les oiseaux seront nombreux et la mer retirée. Je sais déjà qu'à mon réveil, quand j'ouvrirai les yeux les rideaux, tout sera calme et lumineux.

Merci :
au conseil général de Seine-Saint-Denis
pour son aide

à ma « garde rapprochée »
Julien Bouissoux, Alix Penent, Olivier Chaudenson

aux « lecteurs par-dessus l'épaule »
Alain Raoust, Jean-Christophe Planche

Réalisation : I.G.S.-C.P. à L'Isle-d'Espagnac (16)
Achevé d'imprimer par Brodard et Taupin à La Flèche
Dépôt légal : août 2006. N° 89074-2 (40604).

Imprimé en France